満員電車にはもう乗らない！

地方に住んで（自由に）
（ときどき）東京に通う
コロナ時代の新しい暮らし

森 民夫 Zoom対談 × 佐藤俊和

悟空出版

2020年8月7日13：30～

Zoom対談

森 民夫 × 佐藤俊和

まえがきにかえて

数えてみると私は結婚以来、合計10回転居したことになる。民間木賃アパート、公務員住宅、家内の実家、分譲アパート、一戸建て持ち家など住居は様々、東京、水戸、北京、長岡と住む地域も様々だった。でも、いつも職場への通勤という条件に縛られていたわけで、決して住処（すみか）を自分のライフスタイルに合わせて自由に選んだわけではない。

たまたま佐藤さんから、コロナ対策としてテレワークが普及する中、地方都市に住んで月に数回東京に通勤するというライフスタイルが可能になるのではないかというお話を伺った。住処を自由に選べる時代、満員電車からの解放、地方創生等々、私の頭を様々なイメージが駆け巡った。会話が弾んだ結果、コロナ時代の新しい住まいと職場との関係や地方都市の可能性について対談して、本を出版してみようということになった。しかもＺｏｏｍでの対談。

これまで異なる世界で働いてきたふたり。話がかみ合わなくても当然なのだが、佐藤さんのお話は私が初めて聞くことだらけ。すると私の地方行政の経験にも共通点があることがわかってきた。内容は多岐にわたりまとまりがないようにも思えるが、70年間まったく異なる世界で生きてきたふたりがZoomにより自由に会話した結果と受け止めていただきたい。

優秀な人材が、長岡を始めとする地方都市に住み、地方が活性化することを夢見ている。もちろん、東京のコロナを地方都市にばらまく危険性を避けるための万全な対策を講じることは絶対条件である。ワクチンや治療薬が開発され、安心して自由に住む場所を選べる時代が到来することを強く望んでいる。

本書の出版に当たって、あちこちに飛んで行ってしまうふたりの話を適切にまとめてくださった篠塚さん、Zoomの聞き取りにくい会話を文字にしてくださった中木さんに心から感謝を申し上げたい。

2020年8月11日　森　民夫

目次

コロナで進むテレワークの導入
それを可能にするテクノロジー

佐藤　コロナ禍で私たちの生活環境が大きく変わりました。それに伴い、将来に向けてイメージされていた社会のありようやライフスタイルの変化が求められています。

コロナとの共存を強いられる〝現在〟から〝未来〟に向けて、世の中はどのように変わっていくのだろうか。それにはテクノロジーの側面と、東京と地方の関係に着目することが肝心ではないか。そのように考えたとき、前長岡市長で全国市長会会長を4期務められた森民夫さんを思い出しました。

森さん以上に、地方都市の現状と課題に詳しく、国と地方の関係構築に寄与してきた人はいないわけで。今日はご本人をＺｏｏｍでお招きし、私たちが持つべきビジョンと将来へのイメージについて意見を交わしたいと思います。

森　画面越しですが（笑）、お声がけいただきありがとうございます。ジョルダンは「乗換案内」という交通インフラサービスのパイオニアですから、地方都市と大都市間の人の移動や交通インフラについては私以上に詳しいのではないでしょうか。一方、私は政治家として、人や行政、地方分権に関するソリューションについて長年取り組んできました。そういう意味で、私もこの対談をとても楽しみにしています。

コロナは私たちに大きな犠牲を強いていますが、そのコロナを完全に消し去ることはできないわけです。第2、第3の波がやってくるに違いない。従って、私たちはコロナと共生しなければなりません。それには社会の仕組みをどのように変えたらいいのか？　私たちが現在持っている技術をどう活かしたらいいのか？　そんなことを語り合いたいですね。

佐藤　森さんは、このコロナによる社会へのプレッシャーをどのようにご覧ですか？

森　佐藤さんのおっしゃるように、私たちは過去にない変化を求められていると思います。コロナ以外にも世界的な人口増加、貧富の拡大、温暖化などの問題もあります。

緩やかな変化でしたら冷静かつ粛々と受け入れられるのですが、コロナによって短期間での対策を強いられた結果、例えば医療体制に大きな負担がかかる一方、飲食店を始めとする数多くの事業者が次の手を打つ時間もなく、極めて困難な状況に直面しています。仕事を失った方々は明日の糧の手当てもできず、絶望の縁に追い込まれているのではありませんか。

このような事態に直面した私たちが、既存の意識を大きく変えざるを得ないのは確かです。しかしその反面、そうした意識の変化が社会の仕組みや私たちのライフスタイルを大きく前進させるパワーにもなると思います。

ところで、ジョルダンでもテレワークを実施したのですか？

佐藤　ジョルダンでは、もともと新潟県十日町、盛岡、青森、大阪に少人数のサテライトオフィス（※注1　P14参照）があったので、以前からテレビ会議等を実施していました。また、リモートで本社のネットワークに入る、ということも一部のスタッフには許可していました。そしてコロナが広がり始めた2月下旬から、東京本社では時差通勤に移行するのと同時に、本社内にあるサーバーに、社員全員がリモートでアクセスできるようにしました。

森　リモートでアクセスするためには、いろいろ必要なことがありますよね。PCが乗っ取られるなど、よく耳にします。そうなると、セキュリティは極めて大切になりますね。

佐藤　そうです。セキュリティに関しては、いくつものハードルがあります。PCにも新たな設定が必要になって、意外と大変でしたね。

コロナ感染の勢いが止まらないので、東京、大阪の社員は4月1日から全員テレワークに移行するよう3月下旬に号令をかけました。

森　ジョルダンはもともとコンピュータの会社ですから、テレワークには強かったのでしょう？

佐藤　そう思われがちですが、強いのは一部のスタッフだけですね。セキュリティに関わるところは、それなりにナーバスで難しいところがあります。会社のサーバーに入るにもセキュリティに関する知識が必要です。開発者が多いため、おっしゃるように、テレワークに向いている会社だとは思います。

その一方で、普段からコミュニケーションに問題を抱えているところもあり、テレワークになると、さらに社内でのコミュニケーションをとるのが難しくなるだろうと……。

森　なるほど。テレワークには、もともとのコミュニケーションが良好かどうかが重要とお考えなのですね。

佐藤　例えば、営業のスタッフが商品を売り込みに行く場合、初めからテレビ会議で、というのは相当ハードルが高いと思います。また、新入社員に関しても、いきなりテレビ会議というのは厳しいですね。

森　スキンシップはコミュニケーションの基本。それはいつの時代も変わらない、ということですね。

佐藤　会社を運営する者としては、これを機に東京から地方に分散しようかとか、分散する中でワークスタイルをどのように確立するかといったことが大きな課題になっています。そこで今、いろいろ最新のテクノロジーを調べておりまして……。

このコロナ騒動の中、地方はどういう感じで、どうやっていくのがいいとお考えですか？

森　地方都市はUターン、Iターンを促進するためにいろんなサービスを、以前からあの手この手で「住んでください」とやってきました。ですから、東京の企業に勤めながら、地方に住むという流れはとても大きな魅力です。

政府は一貫して地方創生を掲げてきました。実はコロナ禍が始まるはるか以前から、政府は東京の一極集中を是正しようと動いていたのです。「骨太方針2020」でも「東京一極集中型から多核連携型の国づくりへ」という方針を掲げています。

地方創生という観点からすれば、地方に住んで、月に数回東京本社に出勤するというライフスタイルは大きな魅力になります。もちろん、東京のコロナを地方都市にばらまく危険性を回避するために万全な対策を講じる必要があります。ワクチンや治療薬が開発されれば、安心して地方に来ていただくことができますね。

佐藤　今までは、地方都市が一生懸命に「住んでください」とやっていた。それがこのコロナで、東京の企業に勤めている人が積極的に「地方に住みたい」となってきた、ということですね。

森　確か7月に放映されたNHKの番組だったと思いますが、東京などの大都市ではコロナに感染する高いリスクを避けるため、今後は働き方が変わって単身赴任が少なくなるだろうと。家族と一緒に住んで、テレワークを導入してそこで仕事をするという発想はいいですね。

地方都市からするとコロナは大問題だし、怖いし、経済も停滞する。これを回避することにもつながる発想です。

※注1　サテライトオフィス
企業や団体の本拠から離れた場所に設置した小規模なオフィスのこと。本社を中心に、衛星（=satellite）のように存在することからこのように呼ばれている。

**リモートワークの加速で
本社一極集中から分散化へ**

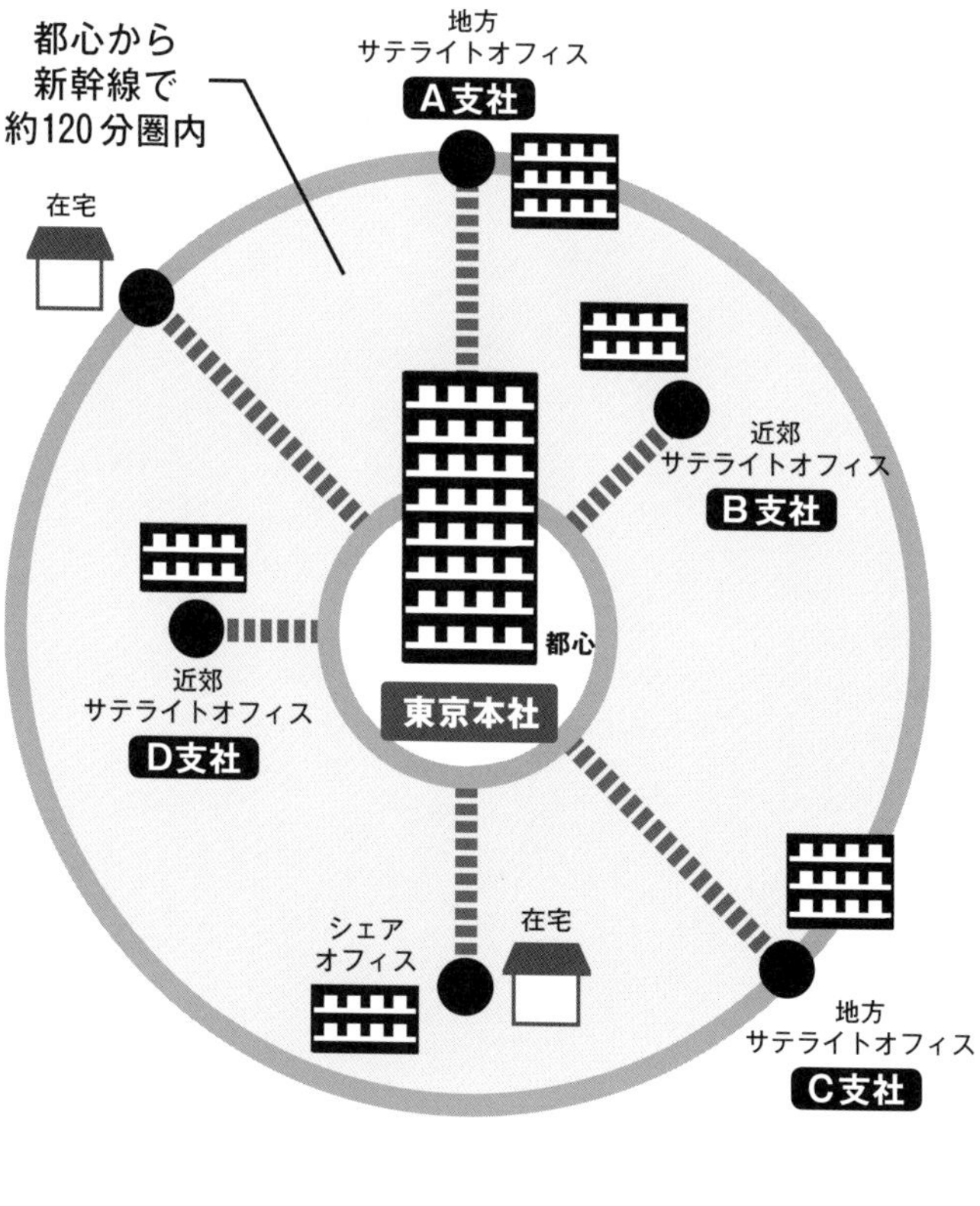

テレワークが使えると知って初めて「人」が動く

佐藤　今回のコロナ禍で、初めてビデオ会議システムを使ったという人が多かったようです。ビデオ会議システム自体は、ポリコム社が2000年頃からサービスを開始しているので、システム自体は昔からありました。専用の端末に大きなディスプレイをつないで使うというもので、大学や研究機関には以前からすでに導入されていましたね。

ジョルダンでは15年前に新潟県十日町市に分室をつくったときに、ポリコムを導入しました。確か200万円以上かかった記憶があります。

会議室を用意し、専用の端末に大きなディスプレイをつなぎました。新しもの好きの私は、最初こそよく使いましたが、フェイス・トゥ・フェイスに優るものなし、と途中からほとんど使わなくなりました。

森　そんなに前からあったのですか。

佐藤　そうですね。そしてこの間、ＰＣがどんどん安くなってマイクやカメラを内蔵したり、スマートフォンが登場するなどして、テレビ会議のやり方は大きく変わりました。

複数の拠点にある会議室を結ぶのではなく、一人ひとりのパソコンで、というやり方がベストです。これができると結構使えます。広い会議室だと顔がわからないけれど、パソコンなら一人ひとりの顔が見えるのもポイントです。

森　なるほど、勉強になります。

佐藤　初対面の人と話すのには厳しい、と先ほど話しましたが、よく知っている人同士が会話するにはとても向いていると思います。でも、コロナ以前の社会では、日常的に誰もが使う必要性がなかったんですね。それがコロナで使わざるを得なくなった。

森　長岡市役所でもテレビ会議を数年前から使っていたのですが、使い勝手が悪くあまり利用しませんでした。

先日、大学でZｏｏｍを使用した3時間の講義を行いました。画面越しなので、最初は学生の反応を把握できず困りましたが、学生たちは自分の部屋でくつろぎながら講義を受けられるというメリットがありますね。

一度、私の飼い猫が画面に登場するというハプニングがあり、笑いが起こって空気が和んだりして。教室の中よりも質問がしやすいようですね。こうした経験から、テレビ講義もなかなか良いものだと思いました。

また、新潟県行財政改革有識者会議をＺｏｏｍで行いましたが、画面越しながらも、知事や委員長と一対一で会話しているような気がして、そのときは意見が言いやすいと感じました。

佐藤　Ｚｏｏｍを例にとると、２０１９年12月の利用者が１０００万人だったのが、２０２０年4月には3億人に達しました。4カ月で30倍です。これほど利用される日が来るとは思っていなかったことでしょう。

ただ、Ｚｏｏｍもうまく使うにはそれなりの工夫や習熟が必要です。

森　10年前にはほとんど使われていなかったテレビ会議が、今回のコロナで広まった。とても使いにくいと頭から決め込んでいたのに、いざ使ってみるとこれは使えるな、と。

佐藤　必要がないときはその使いにくさに囚われがちですが、我々人間は必要に迫られると柔軟に対応し、使いこなしてしまうのでしょうね。

森　それまでの文句が、あるきっかけで瞬間的に霧散してしまうという人間の感覚が面白いですよ（笑）。

佐藤　これからはリモートオフィスができ、在宅の人も出てくる。そういったとき、テレビ会議以外にもキーとなるソリューションがあります。

例えば、最新のＩＣＴ（※注２　Ｐ25参照）とクラウドの技術を使えば、個人のスマートフォンを内線電話として使えるようにもでき、それによって今現在のオフィスを、地理的に分散できます。

森　え、本当ですか？

佐藤　我が社では、社員のスマートフォンそれぞれに内線番号を付与する試みを始めています。通話アプリを利用して内線電話をかけることができ、また外部からの電話が各自のスマートフォンに直接つながる。これにより、どこにいようがまったく社内にいるように話せます。

さらに個人のスマートフォンから、会社の電話番号で発信することもできます。

森　ということは、どこかで飲んでいても、会社にいるふりができるということですね（笑）。

佐藤　そうなりますね（笑）。そうやって使っても、個人の携帯電話の番号は相手方に表示されないので安心です。

森　佐藤さんが注目するテレワークに関する最新技術には、この他、どういったものがありますか？

佐藤　ＰＢＸ（構内交換機）はご存知ですか？　事務所の引っ越しがあると、最初にどこにＰＢＸを設置し、何台端末を用意し、内線番号はどうするのかを考えます。そのＰＢＸをクラウド化する（※左図参照）というのが新しい技術です。

クラウドですから、事務所の中に電話交換機は必要ありません。以前からＮＴＴではボイスワープというサービスを提供していました。いわゆる転送電話です。これをクラウド化したＰＢＸと組み合わせることで、東京本社で受けた電話を青森支社へ転送したり、青森支社から東京本社の番号で電話をかけたりといったことができます。

それどころか、大阪のサポートセンターにかかってきた電話を中国の大連で受け、調べた結果をそこ（中国の大連）から大阪のサポートセンターの番号で発信することさえできるのです。

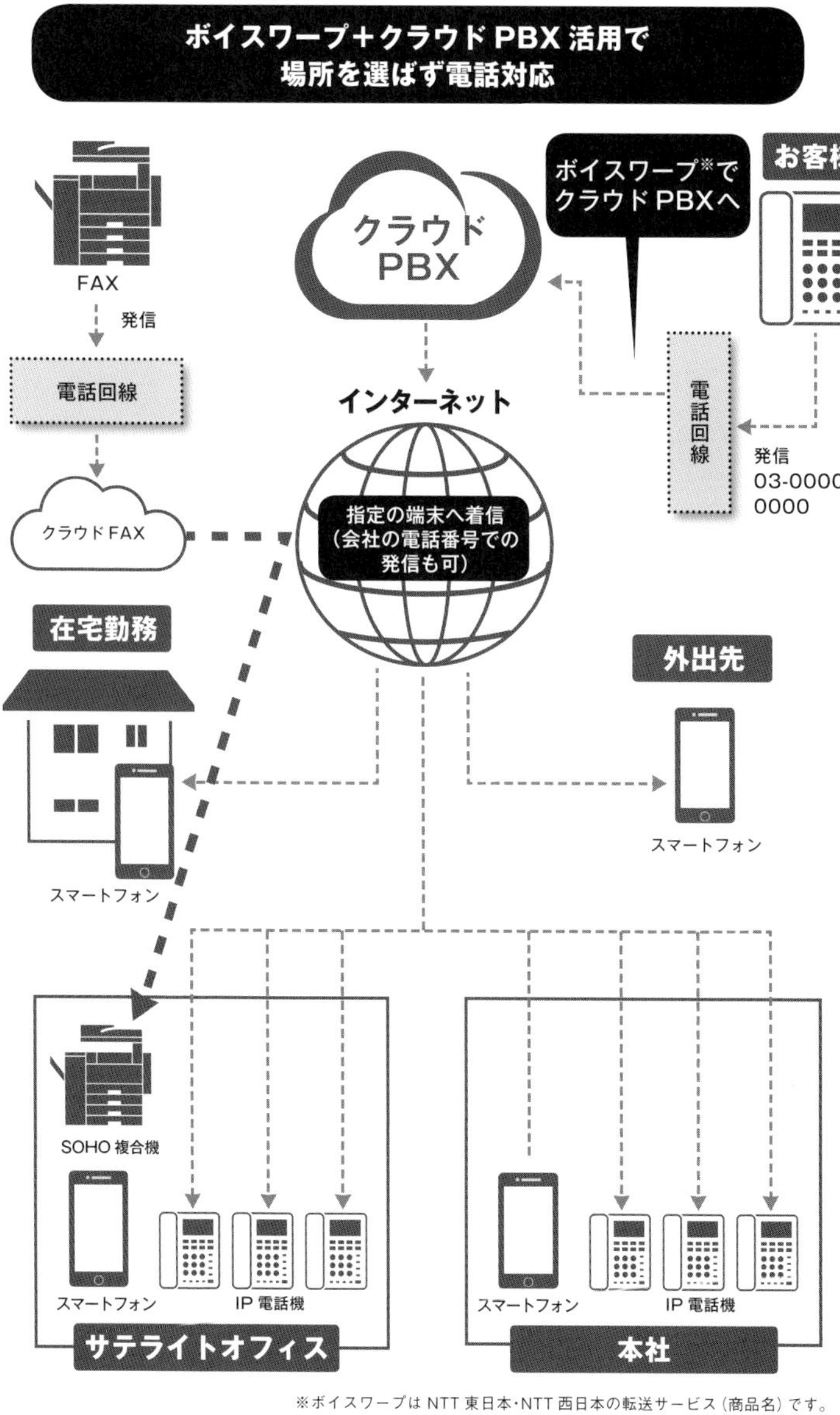

※ボイスワープは NTT 東日本・NTT 西日本の転送サービス（商品名）です。

森　すごい技術ですね。びっくりしました。地球上のどこにいても、会社にいるふりができて、会社にいるときと同じように電話ができるということですね。すごい世の中になってきましたね。どこでもドア、でなくてどこでも会社かぁ……。ＦＡＸはどうなります？

佐藤　これもクラウドＦＡＸというのが登場しています。送信されたデータがクラウド上のＦＡＸに送られるのです。こうしたツールがあって、それを使う意思さえあれば、何も毎日出勤する必要がなくなるわけです。ただ、技術は今現在も進化中です。まだまだ使い方がややこしかったり、改善する余地があります。

森　コロナの時代だから本社が地方に移転する可能性が高まったとか、政府機能の一部を移転すべきだというのは最近よく耳にします。でも、様々な課題があり、すぐには実現しない。本社や政府の「機能」が動くことはハードルがとても高いのではないでしょうか。「機能」より「人」が動くことのほうが可能性に富むと思います。

このコロナをきっかけにテレワークが利用できると知って「人」が動くことが可能になった。これは一種のパラダイムチェンジですね。

佐藤　テクノロジーによって、人々が東京一極集中から解き放たれ分散できるのは、確かに大きな転換です。

※注2　ＩＣＴ

Information and Communication Technologyの略で、情報通信技術のこと。通信技術を使った人とインターネット、人と人がつながる技術を指す。メールやチャット、ＳＮＳ、通信販売の他、教育現場、介護業界（ひとり暮らしの高齢者の安否確認など）、防災などにも活用されている。

コロナをきっかけに考える地方に住むという選択

佐藤　ここまでの話は、様々な技術を使えば、東京と地方のコミュニケーションに困ることはない。従って地域差もなくなる、ということですね。ところで、長岡ってコロナはどうですか？

森　3月にひとり出ました。そのあとはゼロが続きましたが、先ほど（8月7日）2人目が出たと報道されました。

佐藤　東京は462人ですよ。それに比べたら大きな安心感ですね。やっぱり都内で新宿（ジョルダンの本社所在地）というとコロナの震源地みたいに見られているので。

森　申し訳ありませんが、新宿に行くとなると緊張するというのが本音です。地方から見ると、今の東京は実に怖い街です（笑）。

岩手県では7月29日に初めて感染者が出ました。その感染者や関係者へのバッシングが酷いとのことで、知事が感染者を差別しないように異例のコメントを出しましたね。

佐藤　こうした話は心が痛みます。

森　まさに異常な事態ですよ。

佐藤　これからコロナ騒動がどれくらい続くのか？　私は長いと思いますね。第

2波の到来する冬まで時間があると思っていましたが、それは非常に甘かった。7月末から陽性者が連日200人、300人と激増して、500人を超えるのもすぐかもしれません。

こうしたことからも、地方に住んでときどき東京というのが、現実味を帯びてきています。会社もリモートで働けるように調整しないと、組織としてもうやっていけませんよ。

森　そうなると、地方に移住するという選択は個人のライフスタイルの選択にとどまらず、企業戦略としてその傾向が出てくると考えられるでしょうか？

佐藤　サテライトオフィスには2通りあります。まず、都心に高い家賃を払ってオフィスを借りている今現在の東京本社を、東京近郊に分散させようというもの。本社を縮小し、郊外のいくつかの駅にオフィスを置き、従業員が短時間の通勤で通えるようにし始めています。

森　サテライトオフィスを地方都市に置くこともあり得ますよね。

佐藤　もちろん。より積極的に、新しく地方にオフィスをつくろう、というのがもうひとつです。長岡とか郡山とか静岡とか、地方のある程度の規模の都市にはぴったりです。さらに従業員が在宅でできるなら、本社、あるいはサテライトオフィスにときどき通えるような場所に引っ越す。つまり移住ですね。そういう動きも出てきています。移住に関しては会社としても手助けしたいと考えています。

森　ジョルダンでは社員の移住を会社として進めたいと？

佐藤　コロナの現状を考えると、そのほうが会社としてもメリットがあるのではないでしょうか。社員とも話すのですが、この4月に緊急事態宣言が発動されました。あのときの巣ごもり、家の外に出られない、というのは、二度としたくない経験のようです。

森　私も賛成ですが、その一方で、いろいろハードルがありませんか？

佐藤　もちろん、営業系の社員は他社の人と直接会って話したい、と思っています。しかし、緊急事態宣言のときには相手も在宅ですから、テレビ会議でどうコミュニケーションするか、経験を積んでいくしかありません。

一方、開発系の社員は在宅でも相当できます。ただ、やはり月に一、二度は、直接同僚や上司たちに会って、話をしたい。それができさえすればコミュニケーションはスムーズになります。

森　在宅である程度コミュニケーションをとりながら、要所要所で直接顔を合わせる。そういったやり方が、コロナ禍では有効だと。

佐藤　家賃そのものは、東京のほうがはるかに高いので問題はないでしょう。ただ、ローンを抱えた人をどうするかですね。それは僕個人の判断ではなく、国の判断かと……。

森　地方に住む理由には、子育てという視点もありますよ。子育てを大切に考える家族は、環境への関心がとても高い。それが移住を促します。

また、長岡には毎年日本三大花火大会のひとつである長岡まつり大花火大会があります。この花火なども移住の理由になるのでは？

佐藤　そうですね。

森　人に着目したときに初めて地方都市の魅力と地方創生のテーマ、そしてコロナ時代の意味が出てくると思います。

佐藤　確かに会社と住環境の双方を理想に近づけるのは難しく、今まで誰も答えを見つけられなかった。東京都知事の小池さんが満員電車をゼロにすると公約を掲げても実現できませんでしたよね。誰もできると思っていなかったからいいようなものですが……。

テレワークが承認され、それが認められるとなると、当然単身赴任も廃止されます。

森　実は、地方へ移住したいという若者も増えています。コロナ以前から「ふるさと回帰支援センター」というNPO法人が、全国45道府県の地域情報をそろえ、地方への移住や田舎暮らしをしたい人をサポートする移住相談センターを運営していたのですが、この数年、問い合わせ件数がうなぎのぼりに増えている。
しかも驚くことに、利用者は20代の若い人から30～40代が多い。2017年は50歳未満が70％以上になったそうです（※P34のグラフ参照）。

佐藤　それは驚きですね。昔は退職した60代とか70代になってから地方に移住するイメージでしたが、コロナが深刻な今なら、もっとすごいことになっているのではないでしょうか。

【暦年】来訪者・問い合わせ数推移（東京 2010 ～ 2019 年）

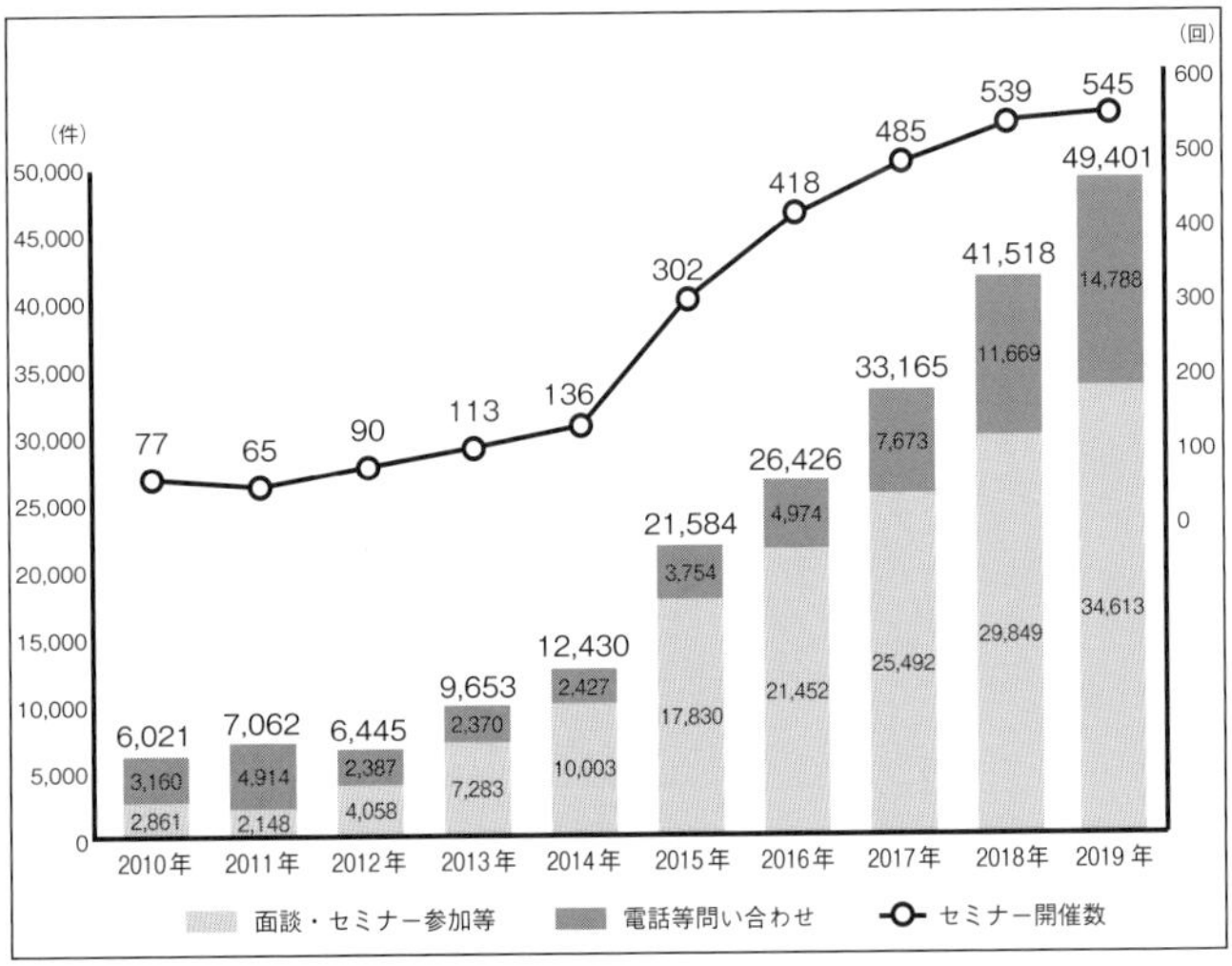

センター利用者の年代の推移（東京 2009 ～ 2019 年　暦年）

単位：%

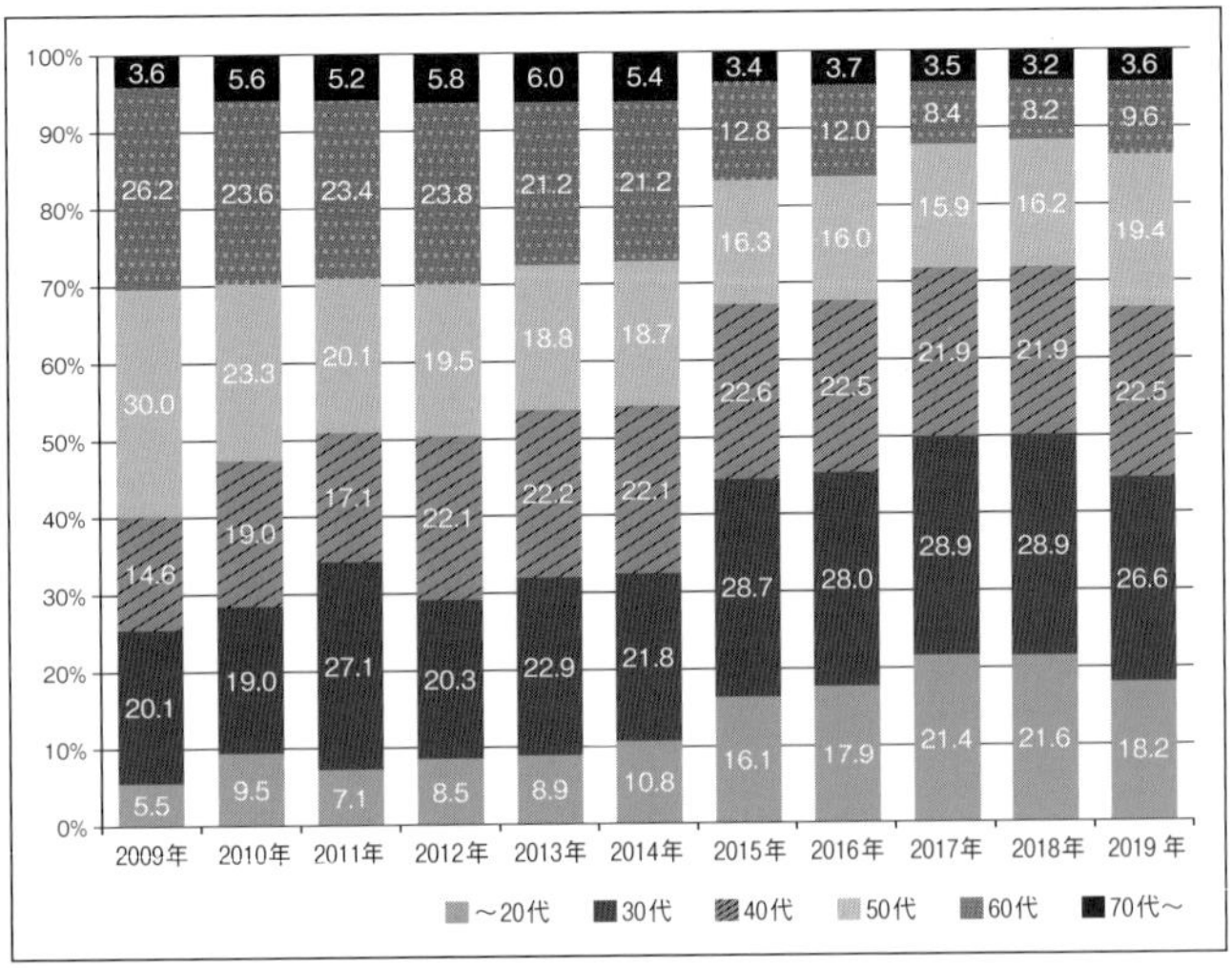

認定NPO法人ふるさと回帰支援センター調べ
調査対象：ふるさと回帰支援センター（東京）窓口利用者（相談者）、主催・共催セミナー・相談会等参加者　調査手法：上記対象者へのアンケート（相談カード）
2019 年分の調査時期：2019 年 1 月 6 日～ 12 月 27 日　回答数：11,458 件

移住に欠かせない
空き家探しと地方独自の魅力

森　地方都市は毎年人口が減少していて、このままでは近い将来消滅してしまう都市もあると言われています。〝消滅都市〟というのはショッキングな言葉ですが、現状はすでにそのような時代に突入しています。ですから、住む人に住む場所を提供するというのは、地方創生を考える立場の人間としては嬉しいですね。

佐藤　社員に地方への移住の話をしたら、すぐに家賃の相場を調べていました。ですが、住みたくなるような空き家がうまく見つからないと言っています。空き家は実際どうなのですか？

森　空き家はありますよ。空き家は地方都市の大きな問題で、空き家が増えるとコミュニティの維持が困難になったり、場合によっては倒壊等の危険も生じたりしますから……。人口減少と空き家はセットの課題ですね。

佐藤　地方の空き家物件を、東京にいながらインターネットで閲覧できると便利ですね。各地の不動産屋を一軒一軒訪ねるのは不可能ですから。そうすると、移住の夢が広がります。

森　長岡市では「空き家バンク」というサイトを運営し、写真つきで空き家の詳細な情報をネットで見られるようにしています。残念ながら、登録件数はまだ30件程度しかありません。

佐藤　空き家はもっとたくさんあるでしょう。

森　私たちのような団塊の世代が空き家のまま保有しておいて、長岡の花火を見るためだけに年に一回使う、というような利用も実は多いようです。

佐藤　私は福島県の白河出身ですが、17年前に父が亡くなり、昨年母が亡くなりました。

実家は空き家になってしまったけれど、更地にすると固定資産税が高くなる。かといって売るというのも気持ちが釈然としなかった。それで結局400万円くらいかけてリフォームして、これから人に貸そうかと。売るよりは思い出を残しておきたいと……。

森　思い出というのは誰にもあります。余裕があれば、実家に年に何回か帰って同級生に会うとかね。一方で、ふるさと感覚がなくなって、手放したいとか貸したいとかいう人もいます。

佐藤　値段を下げれば売れるだろうと不動産屋に言われたけれど、売るのは忍びないですよ。白河はラーメンが美味しいんです。やっぱり地方にいいものがひとつあるといいですよね。そんなことを誰もが考え始めている感じがします。

森　両親が亡くなって空き家になった家を心配する人もいます。なので、住んでもいい、つまり生活ができるとなったら、地方を選ぶ人が結構いると思いますよ。何しろふるさとですから。ワークスタイルの変化が起これば大勢出てくると。

佐藤　以前、ある会社の創業者に招待されて長岡に行き、桟敷っていうんですか、そこで花火を見ながら弁当を食べた記憶があります。

森　長岡まつり大花火大会は毎年8月2日と3日に開催されますが、残念ながら今年の開催は見送られました。ご覧になってどうでした？

佐藤　あの花火は今まで見たことのないスケールで、素晴らしかった。子どもの頃、花火大会を楽しみにしていた記憶があります。ただ、白河市の花火は一発上がって、その後5分くらいしてもう一発と。その間合いで、次の花火に対する期待が大きく膨らみました。

少々ひねくれ者の私は、それこそもののあわれだと。東京の絢爛な花火大会を斜に見ていましたが、長岡の花火大会を見て、やはり花火は豪勢なのが良いなぁ、と考えを変えました。

森　私が市長になった当時、花火はすべて企業の協賛でした。つまり、打ち上がる花火ひとつひとつにスポンサーがついている。で、スポンサーに上げたい花火の希望を聞くと、だいたい偏るんですね。

〝ベスビアス超大型スターマイン〟という迫力があって実に美しい花火がありますが、さすがにこれが続いて打ち上がると、食傷気味というか、その迫力や素晴らしさが薄まってしまう（笑）。また、打ち上がるたびにスポンサーの名前や紹介が入りますから、どうしても細切れになる。長岡の花火は単調でつまらない、なんて声が聞かれて……。

そこで、共同スポンサー方式を導入し、数分間の音楽つきスターマインを打ち上げるなどの工夫を重ねて、今ではＮＨＫテレビの実況にも耐えられる花火大会になりました。

佐藤　こうした花火大会があるからこそ、長岡に住みたいという人もいますよね。魅力的なイベントは、移住の大きな引きになると思います。花火大会をもとに地域の交流に参加するというのは案外いいかもしれない。

東京に住んでいると、隣の家には表札もなく、何年経っても誰が住んでいるのか知らないことも多いですから。本来は災害など何かあったときのために、近所の人たちと関わりを持っておきたいと思うものですし。

森　長岡の花火は市民だと特典が受けられます。市民は桟敷のチケットが手に入りやすいんです。手前味噌ですが、長岡は新幹線で東京から約90分。日本海の魚は美味しいし、山の幸も豊富です。それに子育てにも良い。

佐藤　そう聞くとワクワクしてきますね。

森　ぜひ長岡に住んでください（笑）。先ほど話したふるさと回帰支援センターのデータでも、地方に魅力を感じる人が増えている。地方に住んで、月に数回東京に通うことが、このコロナをきっかけに加速するのではないでしょうか。

長岡市に見る地方の魅力の一例
「子育ての駅」と「アオーレ長岡」

森　先ほども話しましたが、地方に住むきっかけのひとつは、子育てという視点です。

佐藤　確かに子どもには伸び伸び育ってほしいですよね。森さんの市長時代に「子育ての駅」というのをつくったとお聞きしています。それはどういった内容なのですか？

森　「子育ての駅」というのは私のつくった造語です。長岡市の公園の中に建物を建て、その中に遊具を備えた。もうひとつのポイントは、保育士を常駐させたことです。子どもたちが遊んでいる隣で、母親がベテランの保育士に相談することができる。夜泣きしたとか、熱が下がらないとか、気軽に相談できる場所にしました。それが「子育ての駅」です。

交流イベントを行うと大勢人が集まって、おじいちゃんおばあちゃんが孫の手を引いて一緒に来ることができる。子育てサークルの情報交換の場所としても活用されています。

佐藤　思いついたきっかけは何だったのでしょうか？

森　市長として子育て中の母親の意見を聞く機会がありました。私は「いつでも市役所に相談に来てください」と申し上げたのですが、ひとりのお母さんから「市役所は怖いところです。子育ての相談に行く勇気はありません」と言われて……。

それを聞いたときはショックでしたね。

最近は隣近所にプライベートなことを知られたくないという母親も多くて、相談する際にプライバシーをどう確保するかが課題でした。

「子育ての駅」には皆さん遠方から車でやって来ますので、匿名性があります。うちの子の発達が遅れているんじゃないか、などと気になってはいても、怖くてなかなか相談できないのですが、普段から母親と自然に交流している保育士には相談しやすい。そういうことで大変好評です。

佐藤　こうした施設は他の市にもあるのでしょうか？

森　他では見ませんね。長岡市が全国で初めて公園の中に施設をつくり、保育士を常駐させました。これはつまりですね、国土交通省の所管の施設の中に、厚生労働省の所管の子育て相談センターを置いたということです。

子どもを遊ばせながら、ベテランの保育士さんのアドバイスを聞くこの「子育ての駅」は、現在市内に13カ所となっています。

佐藤　それは所轄がふたつの省庁に分かれているという話ですね。そのふたつを組み合わせようなんてことは思いもしないし、思ってもなかなか実現できないですよ、普通は。

森　〝公園デビュー〟という言葉があるように、公園には〝初めて子どもを連れていく近所の憩いの場〟という役割がもともとあったのですが、国土交通省の公園緑地課にはその公園に、子育て支援のための特別な施設をつくるという発想はありませんでした。

一方、子育て支援は厚生労働省が管轄しているので、子育て支援施設は自分たちの縄張りの中でつくる、という発想を持ちます。つまり、他省のスペースに自らの施設をつくろうとは思いつかないんです。そこに私独自の発想があったわけです。

佐藤　母親たちから相談を受けたとき、森さんの頭に浮かんだのですか？

森　雪国には雪国向けの建物があって然るべきでは？　それが気づきの第一歩でした。公園の中に、雨でも雪でも関係なく遊べる体育館みたいな施設をつくる。そして、そこに保育士を置く。悩みを抱えた母親には、何より相談を受けやすくするというのが大事だと考えました。

子どもを遊ばせながら保育士さんに相談できるって最高ですよ。おねしょしたとか、熱が出たとか。昔ならおばあさんに気軽に聞くことができました。けれど今、おばあさんは周りにいませんからね。

●子育ての駅

千秋にある「てくてく」（撮影：山下真理子）

安全に遊べる遊具を備えた部屋（撮影：株式会社ボーネルンド）

佐藤　サービスを受ける側に立ったアイデアはありますが、省庁の壁があると、途端にどう動いていいかわからなくなる。そんなことがよくあります。

森　ひとことで言うと、地方自治という市町村レベルの政策というのは、市民へのサービス。国交省の都市公園事業というのは定型的な公園をつくる補助制度で、それではサービスを受ける市民の側に必ずしも立っていない。厚労省はお母さんの側に立ってはいるけれど、公園を使おうとしてはいない。それを総合化するのが市長の役目だと思いますね。

佐藤　縦割りで本当に不便ですね。僕もユーザーの視点で解決しようという発想を持ってはいるのですが、できっこない、という世界がいっぱいあって。

森　それは同感です。

佐藤　で、どうやっていくかってことですよね。

森　全国の市町村が同じ悩みを抱えています。佐藤さんと同じ悩みですよ。ジョルダンの「乗換案内」だって、鉄道会社で縦割りになっているのを横につないだということですよね。

佐藤　ユーザーが支持してくれたおかげで広まりました。

森　もうひとついいですか。私は市長として市役所と一体化した新しい交流の拠点「アオーレ長岡」を建設するときに、市役所機能を市街地の中心に計画的に分散配置しました。ところが、そうすると、サービスを受けに来た市民がたらい回しになってしまうのではないかという懸念が出たんです。

分散させることによって、たらい回しが生じてはいけません。そこで、手続きの一元化を試みました。５年かけて。ある意味ではコロンブスの卵だけれど。総合窓口というのをつくったんですね。

佐藤　そういえば、移住手続きは煩雑ですよね。手続きの一元化ができる総合窓口ですか？　簡単ではないでしょう。

森　かなり難しい課題でしたが、職員が一丸となって検討した結果、実現しました。転入・転出・転居・出生・婚姻・離婚の各届け出で必要とする複数の手続きを各窓口が連携し、まとめて受け付けるワンストップサービスです。市民が窓口に座ったまま、ほぼ全部の手続きが終わります。

佐藤　座ったままで済むとは素晴らしい！

森　例えば、移住してきた場合の手続きは、住民異動届（転入届）だけじゃありません。国民健康保険や国民年金の手続き等も必要です。また、転入学通知書の発行など学校関係の手続きもあります。それらの手続きをすべて洗い出すことから手をつけて、市民課の窓口でほぼ一括して処理できるようにしたんです。

第一に、他課の業務を市民課職員が処理できるように業務の移譲を行いました。例えば、国保・年金加入、転入学校指定通知書交付等の21メニューです。

第二に、他課の職員を窓口に呼び出して市民課の職員と交代して処理することとしました。国民保険料の精算や介護保険料の精算等の8メニューです。

第三に、これらの対応が困難なケースについては、他の職員に連絡して取り次ぐこととしました。入学通知書交付、母子健康手帳交付等の8メニューです。

様々な手続きを一カ所でできるようにすること、つまり「ワンストップサービス」は、民間だと当たり前なことでしょうけれど、役所ではあまり前例がありません。縦割りを横につなぐ。それだけでもサービスが格段に向上する事例です。

佐藤　それはまたユニークで大胆な発想ですね。

森　しかも必要により、他の窓口へ移動してもらって手続きを行う場合は、職員が案内する。そうすることで安心してもらうとともに、オーダーシートを引き継ぎ、お客様に住所等の同じ内容を二度聞かないで済むようにしています。

佐藤　転勤したときなど、そうした様々な手続きは本当に大変ですよね。

森　「長岡市は窓口に座ったきりで手続きが終わる」と市民に高く評価されています。これも考えてみたら市町村という現場でもって縦割りを総合化することです。発想は「乗換案内」と基本的に一緒だと思いますよ。

佐藤　隈研吾さんの設計で有名になった「アオーレ長岡」の建物は何回も見てい

るけれど、中でどのようなサービスが行われているのかは知りませんでした。

森　建物を見ただけで、みんなびっくりして帰っちゃうんです（笑）。建物に囲まれた中央に「ナカドマ」という屋根がついた広場があって、そこでイベントをやります。行政やアリーナ、体育館をひとつにした空間。これもある意味で異質なものを連結したイノベーションですね。

総合窓口は市役所の1階にあって、中2階に福祉関係課があって、窓口にお客様が座ると必要に応じて職員が階段から下りてくる。そんな設計も自慢です。

佐藤　総合窓口というのは市の問題ですから、市長がやれと言えばできるのですか？

森　できます。市役所が事業者、サービス提供者が長岡市なので。

佐藤　このワンストップサービスも、他の市では提供していない？

森　多くの自治体の皆さんが長岡に見学に来られますが、どうでしょうか。窓口がある1階の上に中2階があるなど、市庁舎の設計も絡んできますから難しいかもしれませんね。でもおそらく広がると思います。

佐藤　素晴らしいですね。やらなければならない事務手続きが多くて、引っ越しはこりごりという思いが私にはあります。そこまでやってくれるのだったら、電気、ガス、水道の契約とか口座引き落としまでできると嬉しいです（笑）。

もちろん、これは市の仕事というよりは、有償で民間の業者がやり、引っ越してくる人が依頼することだと思いますが。今まで住んでいたところでの解約や、インターネットの手続きまで含めて新しいビジネスが生まれるような気もします。長岡は移住するには最高の場所ですね。

●アオーレ長岡

オープニング式典の様子（市役所、議会、アリーナ。市民協働施設をつなぐ「ナカドマ」での式典）

ワンストップサービスの総合窓口
（後方は中２階の「福祉等の執務室」）

サテライトオフィスをつくり地方に埋もれた人材を採用する

森　地方移住の課題は、住宅のこともさることながら、一番の問題が地方には魅力的な働き場所が少ないことです。少ないので仕方なく、働き場所を求めて東京に行く。従って、重要なのは魅力的な就労の場があることです。

自然が豊かであるとか住居費が安いとかの条件整備はコロナ以前から取り組んでいました。地方移住の決め手になるのは良き就労の場の創出です。

佐藤　会社としてもコロナの罹患が増えてくると、新宿の本社に出社しろとも言えなくなってきます。

森　単身赴任がなくなるという理由と同じ意味ですが、自分のふるさとに住む、実家に住むという手もあるわけですから、会社に所属していればどこに住もうが自由自在ってことですよね。

佐藤　鶏が先か卵が先か、ですね。地方には魅力的な働き場所が少ない。働き場所を求めて東京に行く、と森さんはおっしゃいますが、私は優秀な働き手がいればどこにでもオフィスをつくりたいと思っています。

ジョルダンも中国の上海、合肥にオフィスをつくり、バングラデシュにも行っている。それを考えると、どうして国内で積極的に展開しなかったのか？　と反省モードに入ります。

森　その話はとてもありがたいです。優秀な人材が東京に出て行ってしまう傾向をどのようにして止めようかと悩んでいましたから。

優秀な人材が企業を呼べるとすれば、まさに、戊辰戦争で焼け野原になり、苦しい中でもなお人材を育てようと、贈呈された百俵の米を食べずに学校を建てる原資にしたという、米百俵のまち、長岡の出番です。

佐藤　こうした話をすればするほど、確かに地方はいいと思いますね。

森　そうでしょう。「三密」を避けて田舎に住む。すると、コロナの心配も東京と比べて段違いに少なくなる。

佐藤　自分の実家に戻るという方法もあるけれど、その一方で地方都市というのもあります。先日の「ステイホーム」を経験したときに、確かにマンションに住んでいる人は毎日しんどいと聞きました。

リビングでパソコンに向かうにも子どもがいるから窮屈だと。仕事に取りかかっても、子どもはお構いなしに戯れてくる。テレビ会議中でもちょっかいを出すから話に集中できない。一戸建てなら自分の部屋は持てるけれど、ずっとそこで仕事をやっているとオンもオフもなく、気分が変わらない、と。

森　そうですよね。子どもがいると、必ずそうなります。自宅の他にもうひとつ場所があるといいですね。

佐藤　東京では一時期、シェアオフィスがブームになったけれど、デスクひとつが月15万～20万円もかかる。会社からすると、その金額を出すくらいなら部屋を借りたほうがいいと。

在宅を始めたときに、共用の場で他の人と話ができたり、テレビ会議だと結構音が漏れるので専用のブースがあったり。そうしたスペースが確保できるところなら、移住しやすいというのはありますね。

森　ジョルダンでは十日町、盛岡、青森にサテライトオフィスをお持ちなんですよね？

佐藤　十日町と盛岡の場合は、東京で働いていた社員が家の都合で帰らなくてはならなくなったのがきっかけです。「乗換案内」の主要な部分を担当している社員なので、辞められると大変で。それなら分室をつくろう、ということになりました。

森　私の市長時代に長岡につくってもらえたら、いろいろお役に立てたかと（笑）。

佐藤　その言葉、もう少し早く聞きたかった（笑）。

青森の場合は、県がずいぶん応援してくれました。5人までだったら1年間の給料を保証すると口説かれて。1年間自由にできるならと考えて、いろんなバリエーションの人を集めてスタートしました。そうしたらうまく続いている。

森　そうなんですよ。地方には実に良い人材がたくさんいて、その人材が埋もれている。それが残念で仕方がない。

佐藤　そうですね。地方にいい人がいるとなれば、会社としては積極的に出たいです。特にＩＴだと東京は人手不足ですから。ジョルダンは海外に支店をつくるなどして、人材集めにひーこら苦労しているというのが実情です。

森　優秀な人材を集めたいときに、地方にオフィスを構える、もしくは従業員が住むという選択肢に意味はありますか？

佐藤　盛岡の場合は「乗換案内」のサーバーを担当していた社員の父親が亡くなり、実家に戻らなくてはならない、ということがきっかけでした。優秀な人だったので、盛岡で人を集めてそこをサーバー関係の拠点にしようと判断したんです。彼がいたことで始めたのですが、できる人というのは限られていますよね。

森　そのお話は、私もピンときます。

佐藤　1000人にひとりとかいうことではなくてね、情熱を持って長くやってくれることが大事です。海外に人材を求めても、結局うまくいかない。社会のスタイルや文化の違いもあるし、日本のスタイルは特殊かもしれないし……。いい人がいれば、どこにでも行きますよ、地の果てまでも追いかけて（笑）。

森　盛岡に住みたいという優秀な人がいれば、そこにサテライトオフィスをつくっていただけると。地方で働きたいと願っている人にとっては、ジョルダンは素晴らしい会社ですね。

佐藤　はい。そう思ってもらえると嬉しいです。

一方、十日町の場合は、「乗換案内」の時刻表を担当しているスタッフでした。先ほどお話ししたように家の事情で帰らなくてはならなくなり、そのときには別の社員も2人送り込みました。でもその2人は1年でギブアップしてしまって……。その他の人は現地で新卒を採用。その後、彼の高校時代の同級生が合流して、今では10人の規模でやっています。

森　十日町でもいい人材を見つけられたと。

佐藤　そうです。東京でコロナが席巻して「緊急事態宣言」が出たときも、十日町では感染者が出なかったので、安定して仕事ができました。

ですから、コロコロ会社を動くというより、長く一緒にやっていくのがベストです。コロナ禍の今は、東京に住んでいる社員が東京を離れたい、と考えているわけですから、日本国内への分散が現実的かと思っています。

森　十日町市長の関口さんに代わってお礼を申し上げます（笑）。

佐藤　それにもうひとつ、ジョルダンは20人くらいのときが一番活気があって良かった、と記憶しています。何よりスタッフ一人ひとりに目が届きました。人数が増えるとみんなとの距離がどうしても遠くなってしまい、なかなか思いが伝わらなくなりますね。

森　確かに20人くらいだと情報の共有が進んでコミュニケーションがとりやすい

ですよ。

市町村行政でも、小さな市町村にキラッと光る政策が生まれることが多々あります。優秀なまとめ役の人材がひとりいると、小規模なだけに意思疎通がうまくいくのだと思います。まとめ役次第ですね。

佐藤　テレビ会議にはウェビナー（※注3　P67参照）というのがあって、数人が話しているその会話を、例えば100人が同時に聞くことができます。そうしたやり方を導入することで、会社の会議の質も変わると思います。

部長に話している会話を部下も同時に聞けるのであれば、私の考えや方針が社員全体に伝わりやすい。間節話法だとなかなか趣旨が伝わらないのです。

森　それは本当に素晴らしいですね。役所は大きくなると、動きが鈍い組織になる。なぜかと言うと、縦割りになるからです。

都市が大きくなると、福祉は福祉、教育は教育、環境は環境と、そうせざるを得ない。何しろ職員は大勢ですから。そうすると水平思考というか、縦割りに横串を通す人材が必要になりますが、大きな組織をまとめるには相当な力量が必要になります。

佐藤　長岡市のような大きな組織だと縦割りは避けて通れませんね。事務処理だけでも膨大でしょうから。ジョルダンですら、社員が増えてくるとそれに伴い縦割りになっていきます。

森　東大の講義で教えていることは、役所の感覚でいうと霞ヶ関の縦割りを横につなぐと新しい政策が生まれるという原理です。市町村はサービスを受ける市民の目線に立って、まとめ役の首長か職員がゼネラリストにならなければいけません。

佐藤　会社が大きくなるとセクショナリズムが出てくるのと同じですね。

※注3　ウェビナー
ウェブ（Web）とセミナー（Seminar）を合わせた言葉。動画を使い、セミナーをインターネット上で行うこと。

地方のハンディキャップ そのひとつは距離の格差

森　そういえば、先ほど触れたふるさと回帰支援センターのデータを見たときに、自分と関係のないところに住んでみたいという若者が増えていることを思い出しました。コロナ時代になると、東京から地方に移り住んでも長続きするようになるかもしれません。

佐藤　何人かのスタッフは、すでに東京から離れたがっていますけれど。空き家ってもっとうまく流通できないのかな。

森　流通量が少ないという指摘の一番の障害は、自分が元気なうちは知らない人に貸したくないという思いですね。誰でも貸家をめぐるトラブルを抱えるのはイヤですから。

佐藤　それなら会社が借り上げて、社員を住ませるのならどうでしょうか？

森　それはいいアイデアです。市役所が間に入って、空いていてもったいないから貸してくださいと言えば、双方が安心しますからね。しかも地域の防犯にもなるから、地域社会にもメリットがある。

佐藤　どうせなら空き家バンクだけでなく、仲介もやってほしいですね（笑）。

森　空き家を借りて、月に1～2回新幹線で東京の本社に出るけれど、それ以外は在宅で仕事をする。レジャーや生活は自分の好きな都市でするというのは大きな魅力です。会社は会社、個人は個人。特に若い人はそういう感覚を持っていますから。

佐藤　確かに会社と住環境の双方を理想に近づけるのは難しく、今までは誰も答えを見つけられませんでした。

森　佐藤さんの構想で地方に従業員が住むとして、ひと昔前だと、地方に住むハンディキャップは交通費と電話代でした。テレワークができるようになってからは、大都市、東京と地方都市というハンディキャップがなくなった。

次の課題は交通費です。何か良いアイデアはありますか？

佐藤　今、サブスクリプションが流行っています。例えば私が読んでいるドコモのdマガジン。毎月定額でパソコンやスマートフォンで雑誌が読み放題というものです。話題のNetflixも定額で映画やTVドラマなどが見放題というもの。定額になることで、その対象としているものの質が大きく変わります。

実は移動も同様だと私は思います。フィンランドのMaaS Global社が提供するサービスは、確か1カ月499ユーロ（約6万3000円）払えば、タクシーも含めて電車もバスもレンタカーも自転車も乗り放題です。タクシーは5㎞以内の利用ですが。

森　利便性を落とさず、車を所有するコストより安ければ当然普及する可能性がありますね。

佐藤　例えば、東京から２００km以内のどこの街に行っても往復1万円という時代が来たらどうでしょうか。とても動きやすくなると思いませんか？

森　まったくその通りですね。地方分権を推進していたときから、高速道路料金はなぜ地方に行けば行くほど高くなるのだろうという素朴な疑問がありました。高速道路料金が距離によって決まるのは、地方にとっては大きなハンディキャップなのですよ。

佐藤　東京で暮らしていると、そのようなことには思いも至りませんね。

森　ですよね。大手ネット通販の多くは送料無料ですけれど、一般的には割増料金がかかる北海道や沖縄にとってはハンディキャップになります。

とはいえ、送料無料のネット通販が増えたことによって地方のハンディキャップは少なくなった。電話料金も長距離通話料金がなくなりました。全国一律同料金。私の知識でいえば、距離の格差の解消をスマートフォンが果たしている。高速道路の料金体系が一律になると、地方にとって大きな追い風になるのは確実なのですが……。

佐藤　民主党が政権をとったときにそのような話がありましたね。

森　もちろんNEXCO各社（旧日本道路公団）も莫大な建設費の初期投資を経営的には回収しなければならない。でも、高速道路の料金体系が一律になると、誰もが地方都市との往来が負担にならなくなります。

佐藤　そう考えると、昔と比べるとはるかに地方移住のハンディキャップが少なくなっているのではないでしょうか。

東京の会社に勤めながら住みたい場所を自由に選べる幸せ

佐藤　実は企業からすると、地方都市の魅力というのはあまりないんですよ。それが従業員に着目するとある。

森　支店とか工場が移転するというのは今までのパターン。従業員に着目すれば、長岡に住もうが、郡山に住もうが、熱海に住もうがいいわけですね。

佐藤さんのおっしゃっていることが面白いと思ったのは、従業員がどこに住もうが自由だということです。働く人にフィーチャーしているというのはとてもいいと思います。

佐藤　テクノロジーで分散できるような時代が来た。それを後押しするのが、コロナというのが面白いなと。

森　会社は会社、個人生活は個人生活。そうすると、月に数回新幹線で東京に出て、それ以外は在宅で仕事するんだけれど、レジャーや子育て生活は自分の好きな都市で楽しむ。そういったメリットを強調したいですね。これに私は賛同します。

佐藤　本社は東京や大阪などの大都市にありながら、サテライトオフィスを整備する。そして在宅でも働ける、というのが、私はこれからの会社のあり方、理想ではないかと思います。在宅に関しては、本社に通勤しやすい新幹線で2時間以内くらいの駅の近く。また、地方都市に設けたサテライトオフィスに通勤しやすいその近郊、といったところが可能性の大きい場所ではないでしょうか。

森　そうなると住める地域が広がるということですね。

佐藤　繰り返しになりますが、サテライトオフィスに加えて、安く借りることができるシェアオフィスが住居の近くにあるとさらにベターです。

空き家の有効活用を自治体が協力する。また、シェアオフィスの整備を進める。そのような環境が整えば「密」を避けたい人々が移住したいと思うのではないでしょうか。

森　地方で働きたいという若い人が増えて、地方志向が強まっている。これは、個人の自由が保障されているということですよね。集団で移転するのではなく、Aさんは熱海、Bさんは郡山、Cさんは長岡と、まったく違った場所を選んでもいい。山登りが好きな人は松本、海釣りが好きな人は熱海……。人によっては教育環境を重視する。

佐藤　いいですね。

森　そういう地方都市はバラエティがあって千差万別だから、好みの町がどこかに必ずある。

花火が見たい人は長岡に住む。住みたい人に空き家を安く提供する。レジャーもセットにするとか、そういういろんなことが考えられます。

住む人の要望に応じた教育や子育て支援等のサービスを提供することも市町村はできます。さらに、市町村の政策として確立されたときに、様々な条件を総合化する。その総合化を民間ベースで行う。

佐藤　地方がそのように取り組むなら、移住がより一層進みますね。だんだん形が見えてきました。

森　長岡に移住して東京まで月に2往復するくらいなら、定期券は必要でなくなりますね。

そうなると、長岡に住んでほしいとか、高崎に住んでほしいとか、地方都市は競争になります（笑）。都市それぞれの持ち味を、サービスに組み込んでいくといいでしょう。

佐藤　もちろんそうなります。今回のコロナ禍で在宅勤務を命じられた企業が多く、定期券の払い戻しに追われたＪＲや私鉄は大幅な収入減となりました。

新幹線の乗車率についての報道が多かったのですが、在宅が増えれば定期券を購入する必要もなくなってくるわけですし、鉄道会社も大きくビジネスモデルを変えなければいけなくなってくるように思います。

移動を自由かつ簡便にするMaaSの可能性

森　繰り返しになりますが、地方移住を促進しようとする場合、やはり交通費がネックになる可能性がありますね。

佐藤　企画切符については、すでにいくつも発売されています。地方移住を考えると、例えば「大人の休日倶楽部」がお得です。

リモートオフィスから本社への出張が月に1〜2回程度とした場合、宿泊つきがベターですね。「大人の休日倶楽部」で101〜200㎞の間は、3泊4日以内だと往復乗車券が3割引きになります（※諸条件あり）。「大人の休日倶楽部」はシニア向けですが、こういったものを在宅でリモートワークする人にも提供する。これに宿が安価でセットになれば、需要が見込めます。

森　なるほど。そうですね。

佐藤　ある企画切符は全線乗り放題で、景勝豊かな場所でランチが食べられて、しかも土産物ももらえるんです。

ただ、今どうやっているかというと、券売機でボタンを押すと券が3枚出てくる。ひとつは乗り放題切符、ひとつは土産物の交換券、あとはランチ券。ランチはいくつかの店で食べられるというものなのですが、これを券売機でやると、券売機にはもうボタンの余裕がない。お店は券をもらって、まとめて鉄道会社に持ち込み精算するわけです。

これって手間ですよね。でも、これをデジタル化できると効率がいいばかりでなく、何月何日に何が売れたというデータもとれる。

森　前市長の立場から考えると、都市はひとつの現場ですから。現場では飲食のチケットもバスの切符も一緒。場合によっては商工会の地域ポイントも。

電車のチケットと食事、土産物。この3つをセットにするという考え方は大賛成。でも、駅に行かないと買えないとなると、ちょっと不便かな。

佐藤　そうです。販売窓口は駅の窓口、券売機だけだから、利用客は何があるかもわからない。人気はじわじわ出てきているけれども、販売が伴わない。実にもったいないですよ。

森　３つをセットにするという考え方はインバウンド客にも向いていますね。一方、テレワークになると定期が不要になって、毎回乗車時に切符を買ったほうが効率的です。

佐藤　そうです。在宅が増えると定期は確実に買わなくなります。そこを逆手に利用できるサービスがＭａａＳ（マース／※注４　Ｐ94参照）です。

森　先ほどおっしゃったフィンランドのＭａａＳですね。

佐藤　ジョルダンはこのコロナ禍において自粛だけではなく、新しい動きを興す、経済に協力したいという気持ちがあり、２０２０年7月に大阪府と大阪のスマートシティ推進に向けたMaaS分野における協業の協定を結びました。コロナの時代にMaaSは大きなテーマになり得ると思うのですが……。

森　新しい流れをつくるというのは大賛成です。そのMaaSというのはどんな仕組みですか？

佐藤　MaaSという言葉が注目されたのはここ数年のことです。先ほど触れましたが、フィンランドのMaaS Global社がスマートフォンで目的地までのルートを提示し、決済までを完了するWhim（ウィム）というアプリをスタートさせたことがきっかけです。

電車、バス、レンタカー、シェアサイクル、タクシーまで乗り物すべてを利用でき、そのままスマートフォンひとつで移動できるサービスです。さらにサブスクリプションモデルを提示、世界展開を宣言しています。

森　サブスクリプションもですか！　それは利用者にとって、とても便利なサービスになりますね。

佐藤　ジョルダンは、27年前にPCで日本の鉄道の経路検索サービスを開始し、20年前には、全国全駅の時刻表を搭載。携帯電話のインターネットサービスとつなぐことによって、一気に利用者を増やしました。

そして、JRやANA、JALといった交通事業者の予約システムとつないでいこう、と働きかけたのですが、色よい返事を得られませんでした。

2年前、JR東日本でこのMaaSを担当していた人からWhimのことを聞き、世界が大きく変わろうとしていることに驚き、ジョルダンとしても大きくMaaSへ舵を切ったわけです。「乗換案内」はすべての交通機関をつなげているのでスケジューリングがしやすいですから。

森　予約システムとつながることができたら、もっと便利になりますね。

佐藤　ロンドンに「Masabi（マサビ）」というＱＲコードで世界展開している会社があります。会社名を「ワサビ」にしたかったけれど、すでにドメインがとられているので「マサビ」にしたという日本好きの創業者が、スマートフォンにＱＲコードを表示し、電車に乗れるサービスを行っているんです。

森　スマートフォンで表示されるＱＲコードはセキュリティ面で厳しいと聞いたことがあります。

佐藤　そうです。飛行機では、搭乗ゲートを通過する際にスマートフォンのＱＲコードを使いチェックインしますが、これは座席が事前に決まっているから可能になります。一方、鉄道の場合は席が決まっていないこともあり、ＱＲコードのスナップショットがありさえすれば誰でも乗れてしまう。

それを防ぐにはすべての改札を新しくするなどセキュリティを高める必要がありますが、そうしたシステムに手を加えるのは大変なので、既存のものを利用しながら新しいものを導入することになります。

「マサビ」はそうした課題を解決するセキュリティを、ムービーを使って構築しています。今は赤い背景が、直に青になるなど、時間とともに変化させる、などして。簡単にコピーして他人に渡すことができないような工夫がされています。

森　スマートフォンにＳｕｉｃａを入れることはできますよね。

佐藤　日本のＳｕｉｃａは残念ながら世界標準がとれませんでした。日本のスマートフォンはＳｕｉｃａを利用できるけれど、外国のスマートフォンではできない。ワンタッチで入場できるから便利なのに残念です。

一方、QRコードは世界標準ですから、そのQRコードのセキュリティを強化した「マサビ」は注目され、ジョルダンが「マサビ」との提携を発表すると、豊田市が面白い試みだと、ぜひ「ラグビーW杯」でご一緒しましょうと誘われたのです。

森　それを使えば会場の試合時間と交通手段をセットにして外国人に提供するサービスが可能だろうと……。

佐藤　そうです。「乗換案内」は日本語のみならず、英語、フランス語など13カ国語をサポートしています。

そこで、昨年の「ラグビーW杯」で海外からの観戦客に向けていいサービスができるだろうと、ちょっと腕試しをしようと考えて。

森　「ラグビーW杯」は盛り上がりましたね。あそこまで日本中が熱狂するとは思いませんでした。それに海外から本当に大勢のサポーターが来日しました。

佐藤　豊田市でもラグビーの試合があり、9月23日のウェールズ対ジョージア戦を皮切りに、10月5日には日本対サモア戦。あいにく台風19号の影響でニュージーランド対イタリア戦は中止になりましたが、計4試合が組まれました。

森　当然、世界中から豊田市にサポーターやファンが集まってきますね。

佐藤　こうした海外からのサポーターやラグビーファンは初めて来日する人がほとんどで、従って、開催時間までに確実に試合会場にたどり着く方法がわかりません。「乗換案内」は交通機関を横断しているのでスケジューリングがしやすいですよね。しかも多言語化している。

良いことづくめだと思い、「ラグビーW杯」の事務局に「乗換案内」との全面的なタイアップを提案しました。ところが、「乗換案内」の中に「ラグビーW杯」のスケジュールを載せることはNGでした。なぜかと言うと、権利の問題なんですね。「乗換案内」を運営しているジョルダンはスポンサー企業じゃないからダメだと。

森　ラグビーでもそうなんですね。まさに「縦割り」ですね。不案内な訪日客をもてなそうとしても、そう簡単ではないと。

佐藤　「ラグビーW杯」は豊田市といえども、一開催都市にすぎない。そこで、事務局を紹介してくれることになり、ラグビー協会に交渉に行きました。すると彼らも面白いと思ってくれた。ただし、最終的な意思決定をするのはロンドンだと。ラグビー協会はロンドンにこの話をあげて、直接開発チームといろいろ話をし、その結果、「ラグビーW杯」のホームページからリンクはしてくれたのですが、わかりにくい場所にあり、あまりアクセスはありませんでした。
ジョルダンのアプリでは、結局「ラグビーW杯」という名前を出してはいけないと。オリンピックのことも考えていたのですが、ライセンスのしばりが非常にきついことに驚きました。

森　そうでしょうね。オリンピックは利権の王様と言われていますから。

佐藤　豊田市の若い担当者と、「ラグビーW杯」に合わせてQRコードで利用できる、バスの乗り放題乗車券に食事をつけたチケットを販売することになりました。
当初は市役所も手伝うと言って頑張ってくれていたのですが、実際には、店の開拓はジョルダンでやってくださいと言われ、大変でした。

森　余計な解説かもしれませんが、お役所が絡むとすべてを公平にしなければならない。市内にあるすべての飲食店を加入させなければいけないとか。一店舗でも反対されたら、なかったことにするとか。その点、民間が行う場合は、希望する店舗だけの参加でも大丈夫なんですよ。

佐藤　豊田市では海外の人を含めて、QRコードでバスに乗ったり、食事をつけたチケットまでは売ることができました。それをやったことで、こういうのを広めるのは大変だけど、MaaSの時代になったときに定期を買わなくなりますから、家族で移動するときには、これがひとつの形になるんじゃないかと。

大変だけれど、面白かったし、これからの事例になると思います。

森　これは良い実例ですね。本当は会場への入場券もセットにしたかったんですよね。さらには、成田や羽田から豊田に行く交通機関すべてを結べば本当に便利になりますね。

佐藤　そうなんですよ。

森　それにしてももったいない話ですね。W杯の協会は、訪日してくれた観客の足のことなんてまったく考えていない。試合さえできればいいということでしょう？　交通機関側はただ運べばいいと。

もっと言えば、鉄道は豊田市駅まで行けるけれど、そこから先は関知しない。ラグビー協会も交通機関までは関係ないという態度ですよね。まして土産物の推薦なんてできない。

佐藤　先ほどの鉄道会社の企画切符も券売機で買う限り、広がりは難しいでしょう。また、別の鉄道会社が自社完結で企画切符を充実させても、羽田に降りた外国人観光客が手にとるまでには紆余曲折がある。

それをMaaSで一気通貫にできれば、利用者は増えると思うし、デジタル化することで何月何日何時何分に何が売れたとか、様々なデータがとれる。それに、決済も簡単になります。

森　利用者の利便性が向上すれば、大勢が使ってくれる。つまり肝心なのは使いやすさですよね。

佐藤　各鉄道会社は、いろいろな企画切符を頑張ってつくっているけれど、現場の駅員は説明できないこともありますし。しかも、外国人観光客へのサービスには多言語が必要になりますから。

森　そんなことでは、「お・も・て・な・し」の日本が泣きますね。

佐藤　ＭａａＳは人々の移動を促進するツールになると思いますよ。

森　異質のものをまとめるということに意味があるんですね。ＭａａＳはあらゆる交通機関をひとつに束ねるという、スマートフォンひとつで全部扱えるという意味。１万円払えばどれにも乗れるというのも縦割りの総合化です。

交通機関ごとにバラバラな情報を束ねたのがジョルダンじゃないですか。それまでは、新幹線の時刻表と私鉄の時刻表を一緒に見られることはなかった。それらを束ねてひとつで見られるようにした。

さらに様々なサービスをつけていますよね。交通だけじゃなくて、土産物、施設、食事。バラバラなものをまとめた。

そのジョルダンの考え方は、私が長年考えてきた地域発の生きた政策が生まれる条件と共通しています。

佐藤　これから5Gが普及しますが、これによって人の移動がドア・トゥ・ドアになる。車の自動運転が現実的になってくる。これらは今、世界の開発競争になっています。そういう目で見ると、フィンランドのMaaS Global社というのはアプリで突き抜けようとしている。

ヘルシンキなんてすごい田舎町なんですよ。交通の需要がないにもかかわらず、Googleマップを使って目的地を設定すると決済まで全部できるサービスを展開しようとしている。

森　進んでいますね。究極のサービスのように思えます。日本の超高齢化社会にも極めて有用だと思います。

※注4　MaaS
現在利用者は、航空、鉄道、タクシー、自転車、レンタカー、電車の乗り換えな

ど、個々の会社のアプリやサイトにアクセスし、交通機関の情報検索や予約、支払いなどを行っている。一方、MaaSとは、シェアサイクルなども含め、交通手段すべての経路の検索から予約、支払いまで、スマホなどを使って一括でできるサービスのこと。自動車に依存した社会から脱却するため、フィンランドから生まれた。Mobility as a Serviceの頭文字をとっている。

Uberの衝撃 それは移動の価格破壊

佐藤　サンノゼの市内にジョルダンの拠点を置いています。アメリカは交通網が発達していません。車社会ですから。社員がアメリカに行って行動することを考えると、駅の近くにという声が上がって、サンノゼとマウンテンビューを結ぶライトレールの駅から歩いて5分くらいの場所にタウンハウスを買いました。そこからサンフランシスコ空港まで電車で行けるので便利です。

電車に乗っている時間は正味60分程度、とはいえ日本の電車事情とは違い本数が少ないので、倍以上の時間を見なければいけません。私は行くと必ずレンタカーを借りていました。現地で人に会うことも頻繁にあるためです。

Ｕｂｅｒ（※注５　Ｐ99）の料金はタクシーに比べて2〜3割安くなると耳にはしていましたが、使うことはまったく考えていませんでした。日本のタクシーもアメリカのタクシーも、料金は似たようなものだと思っていましたから。

なので、サンフランシスコ空港に着くと真っ直ぐレンタカーのカウンターに行き、自分で毎回拠点まで運転していました。サンフランシスコ空港からサンノゼまでは、距離的には成田から都内までと同じです。Ｕｂｅｒで若干安くなるとしても3万円はかかるのでは、と。

森　実際はおいくらだったんですか？

佐藤　あるとき、たまたま相乗りで利用したら、40ドルに満たないのに驚きました。スマートフォンで手軽に呼べるＵｂｅｒ。その実態は白タクっていうものの、その本質は価格破壊ですよ。３万～４万円のタクシー代が10分の1になるんですから。それ以来、レンタカーは借りなくなりました。サンノゼ市内を移動するときにもＵｂｅｒを利用しています。

日本ってタクシーアプリができても料金は安くはなっていないですよね。そのうえ、タクシーが必要になったとき、場所によってはまったく拾えないこともある。どんなところでも利用できて、料金も半分とか3分の1になったら、移動というものがまったく別のものになります。日本でもそういうイノベーションをうまく起こせないでしょうか？

例えば、お年寄りは年に5万円払えばいつでも電車やバスに乗れる、日本中どこへでも行ける、となれば、みんな乗りますよ。80歳をすぎて足腰が弱くなってもあちこち行ける世の中になったら幸せですよね。それだけでも社会が明るくなる。

森　高齢化社会における地方都市課題のひとつが、住民の足の確保です。コミュニティバスを運用するということを多くの自治体がやっていますよね、結構なお金をかけて。

長岡市では、人工透析患者の乗り合いタクシーを実施しています。経路が決まっているので乗り合いにして、運賃を下げるなど工夫しています。ただ、Ｕｂｅｒのような仕組みが日本でどうなるかは不透明ですね。

佐藤　タクシーや送迎バスを併せてＵｂｅｒの仕組みを取り入れ、思い切り安く、ドラスティックに住民が動けるようになると、すごく魅力的な町になるんじゃないかと。

森　そういうイノベーションを生活全般に対してセットにするのはどうでしょうか？　例えば空き家を軸にして考えると、空き家のための情報にリンクさせて、もっと深掘りした情報も発信する。自分の町にお客様にぜひ来ていただきたいという気持ちでね。こういう流れをつくらなければいけません。

佐藤　地方への移住が増えてくると、そういったサービスを充実させた市町村が勝ちますね。

※注5　Ｕｂｅｒ
アメリカのUber Technologies Inc.が運営するオンライン配車サービス。一般の提携ドライバーと利用者をつなぐ。Ｕｂｅｒのアプリを使って車を依頼すると、モバイル端末のＧＰＳ機能から位置を割り出し、付近を走行している提携車を呼び出す。アメリカのサンフランシスコで２０１０年にスタート。日本では２０１４年から限定した方法で、一部地域で参入。最近では既存のタクシー会社と連携、システムを提供するケースが増えてきている。現在、世界63カ国、７００以上の都市で展開。

失われた20年、30年　その1
突き抜けていたガラケー

森　大学の講義でよくソニーやホンダの話をします。技術革新の時代で夢があった頃の話です。

佐藤　日本はバブル崩壊以降、20年失われたとか、30年失われたとか、そんな話をメディアでよく見ます。でも、僕はそんなに失われていないんではないかなと。今はスマートフォン全盛の時代になって、日本はちょっと遅れてしんどいと思うことはあるけれど、ほんのちょっとした時間ではないでしょうか。ガラケー（※注6　P106）のときは日本が一番輝いていましたよね。例えば、写真機能を搭載したのもガラケーで、写メールでしたっけ？　あれによって携帯電話に写真機能を載せてカメラ代わりにした。
今ではアプリを当たり前のように使っているけれど、携帯電話をネットにつなげて使ったのも、実は日本から始まっているんです。iモードが席巻したから印象が薄いけれど、最初はJ-PHONEが始めている。

森　携帯電話をインターネットにつなぐ発想は、外国にはなかったと……。

佐藤　外国におけるコンテンツサービスというのはメールベースで始まっています。例えば、美味しいレストランを紹介する、といったサービスです。ある特定のアドレスに、「ピカデリーサーカス、フレンチ」というメッセージを送ると、ピカデリーサーカス付近のおすすめのフレンチレストランの住所、電話番号のリストが返ってくる、といったようなものです。このように携帯電話事情が日本と外国とではだいぶ違うんです。

また、日本はNTTというひとつの大きな事業者があった。一方、ヨーロッパではそれぞれの地域にいろんな会社、つまり小さな電話の事業体があった。そんなことで、端末が力を持ったという次第です。

森　なるほど。それでノキアがあんなに有名になった。

佐藤　インターネットが普及し始めた頃、ジョルダンは「乗換案内」の提供を始めました。無料で鉄道や経路、運賃を検索でき、有料のパソコンソフトには特急や新幹線の時刻表も搭載した、時刻表検索の新しいモデルです。

するとあるとき、J-PHONEの掲示板で「この経路はおかしい」などと盛り上がっているのを社員が発見しました。それは「乗換案内」の検索結果と同じだったのですが、当時、我々は携帯電話でのサービスを提供していません。

調べると、ある人が趣味的にメールサービスを始めていたことがわかりました。

つまり、ユーザーが出発駅、到着駅というメールを特定のメールアドレスに送ると、「乗換案内」で検索し、その結果をパソコンからユーザーの携帯電話に送るというシステムを構築し、サービスしていたのです。

森　無料で、ですか？

佐藤　確かこの頃、J－PHONEではパソコンから携帯電話へのメールの送付は無料でした。マニアは、ちょっとした腕試しをしたんでしょうね。

森　J－PHONEのサービスとマニアによる仲介という、複合的サービスの結果ですね。

佐藤　それを見て、J－PHONEは新しいビジネスのヒントを得ました。ジョルダンの「乗換案内」は、携帯電話と相性が良い、と。

私たちもその頃、時刻表を全国全駅に増やそうとして頑張っていて、移動の途中に列車の出発、到着の時間までわかるということは新しいサービスになるのではないかと考え始めていました。

それで、J－PHONEはインターネットサービスを携帯電話でやろうと始めていくんです。

森　なるほど！　そんなことがきっかけで始まったんですか？　何がヒントになるかわからないものですね。

佐藤　そこから、今のホームページのようなシンプルなウェブサービスが始まりました。J－PHONEの場合は番組という発想で、「乗換案内」だけではなくて銀行や天気予報など、ある程度厳選したコンテンツを有料のサービスにしたのです。

そして、それに刺激を受けたドコモがｉモードを始めたのです。ドコモはＪ－ＰＨＯＮＥと違った路線で、仕様をオープンにしてコンテンツを集めた。そういう中で着メロとか、音楽のコンテンツなどがどんどん増えました。

森　私もずいぶん好きな曲の着メロをつくって楽しんでいましたね。

佐藤　誰もがｉモードを使って盛り上がる。そうしてガラケーというのはすごく進んだ状態になったわけです。

森　大勢の人が関わって盛り上がって、より良いものをつくり上げていく。市町村行政でいえば、まさしく「市民協働」ですね。

※注6　ガラケー
日本市場ならではの、多機能化が進んだ国内メーカー製の携帯電話のこと。ガラパゴス諸島の生物の進化のように、日本独自の進化を遂げたことから〝ガラパゴスケータイ（＝ガラケー）〟と呼ばれた。

失われた20年、30年　その2
見えるラジオとカーナビ、Ｓｕｉｃａ

佐藤　Ｓｕｉｃａも日本が先行していきます。ソニーは自社でＦｅｌｉＣａという無線チップを開発しました。それに目をつけたＪＲ東日本はＳｕｉｃａを始めていくわけですよ。

その無線方式は、ラッシュアワーの乗客を瞬時に処理できる、とてつもなく良い性能を持っている。Ｓｕｉｃａが普及していくのを見たときに、モトローラが躍起になって新しい無線の方式を出しました。その結果、後から動き出したモトローラに国際標準化をとられてしまい、ＦｅｌｉＣａはドメスティックな無線に押し込まれてしまった。

森　国際戦略のなさ、まずさでしょうかね。せっかくの技術をワールドワイドに押し上げられなかった、ということは。

佐藤　ドコモは、携帯電話にＦｅｌｉＣａを搭載。ａｕ、ソフトバンクにも仕様を開放、モバイルＳｕｉｃａも日本が先行しましたが国際標準にはなれなかったので、海外の携帯電話には日本のＦｅｌｉＣａは入らないんですね。

森　日本人として、とてもとても残念な気持ちになりますね。どうすればそんなことにならなかったのでしょうか？

佐藤　本当は、そこで国際標準をとっていれば、それはそれで別の目があったような気はします。今では香港やインドネシアなどアジアの交通機関に限って、採用されるようになりましたが。

森　聞けば聞くほどもったいない話で。「捲土重来」に期待したいですね。

佐藤　日本が頑張ってきたもうひとつがＧＰＳです。ＧＰＳはもともと軍事用の技術で、アメリカが人工衛星を打ち上げ、戦略上必要な地球上の座標がわかるようにした。

もちろん軍事用ですから、民間に使わせるつもりなど毛頭ありません。それを民間で応用したのが、実は日本が最初なんです。

森　本当ですか？　日本人の応用力は本当にすごいんですね。

佐藤　導入は座標とはまったく違ったプロジェクトがきっかけでした。

昔、ＦＭグループで「見えるラジオ」というプロジェクトが立ち上がりました。ＦＭ波で文字情報を送ろうと県単位で仕組みをつくり、「見えるラジオ」という商品を発売したけれど、それがなかなかうまくいかなかった。普及もしなかったし、サービスも拡大しませんでした。ディスプレイのついた新しいラジオで、例えば放送されている音楽の歌詞が表示される、という画期的なものだったのですが。

森　「見えるラジオ」ですか。名称だけは何となく覚えています。

佐藤　一方、ホンダだったと思うけれど、カーナビを開発しようとしてこの「見えるラジオ」に目をつけたんです。

GPS衛星は軍事用ですから、あえて100m、500mとずらした値を送ってくる。正確な座標を教えまいとするのですが、座標がわかっている場所でGPSの座標を拾い、そこから自分の場所を計算すると何mずれているかがわかる。100m、500mずれているなと。

このずれている実際の数値を「見えるラジオ」に載せて送るサービスを始めるのです。「見えるラジオ」は音楽とは別に文字情報を送れるので、GPSのずれの情報を載せた。それで、車載のカーナビがずれを修正することができた。これが、車載のカーナビが日本で流行るきっかけです。

森　軍事用のものを勝手に民間に応用するなど、アメリカからしたらとんでもないことですよね。アメリカは怒らなかったのですか？

佐藤　もちろん激怒したと思いますよ。いつまでもこんなことをさせないというので、暗号化のレベルを上げ、何年何月までで使えないようにすると通告してきました。

ところがそのとき、ヨーロッパでも人工衛星を打ち上げ、民間の誰もが利用できるよう位置をずらさないようにしたんです。それで、アメリカも方針を変え、ずらさないようにしました。

森　Googleマップで移動するというのが最近は常識化していますね。

佐藤　そうですね。けれど、車載のカーナビというのは実は日本が圧倒的に早かったし、日本にしかなかった。そういう経緯があるんです。

そういう素晴らしい技術がたくさんあるのに、なぜこんな状態になるのかというのが、僕は悔しい。

失われた20年、30年　その3
完成しすぎたために乗り遅れる

森　日本はむしろ根幹となる技術開発ではなく、アメリカなど先進国が開発した技術を応用して、便利な使い方を工夫してきました。

例えば、ソニーがそれまでのラジオを小型化したトランジスタラジオをつくったとか、ホンダがオートバイの性能を格段に向上させたとか。

オートバイってもともと欧米の技術ですよね。他国の技術の応用の仕方を工夫しただけで、世界を席巻する製品をつくってきたと思えるのです。外国から日本人はずるいと言われていた時代があったように記憶しています。

それがある時期から逆転して、カーナビでもガラケーでも最初に日本が技術開発し、その技術をもとにして今度、欧米がさらに便利なサービスを加えていく。それは、昔と逆になっているように思うのです。

佐藤　確かにこの30年は、そんな状態に入っていたと僕は思うんですよ。

森　ひょっとして日本人は便利にすることに飽きてしまったのでしょうか。生活が便利になりすぎてしまって、もう新しい欲求が出てこないのかな？

佐藤　でもバブル以降、日本はジリ貧ですよ。

森　ウォークマンだって考えてみたらですよ。要するにテープレコーダーを持ち運びできるよう小型化して、歩きながらでも音飛びしないように技術改良して、大ヒット商品を生み出したわけです。

ということは、新しい使い方を提案して新しい需要を開発したということじゃないですか。

佐藤　それが世界的なヒットになる。

森　本当は大変な技術開発があったのでしょうが、テープレコーダーという根っこの技術は変わっていない。

でも、考えてみたら使い方をきちんと提案して技術開発をすることは、市民のニーズに寄り添って、市民の利便性のために新しい政策を提案してきた市町村長から見て、やはり素晴らしいことだと思います。

佐藤　イノベーションってまさしくそういうことじゃないですか。

森　何が今の日本人に欠けているのでしょうか？　便利な生活になってもう欲求

がないから、もうこれ以上いいや、みたいな。

佐藤　そこはたぶん、縦横の話じゃないかと。新しいことをやろうとしたときに、なかなか縦のしがらみが大きいんじゃないですかね。

森　それもあるし……、そうですね、どうしてJR東日本と西日本で交通系ICカードの仕様が違うのか？　鉄道は基本的に一緒ですから。私鉄も同じ。PASMOとか、違ったものをつくるじゃないですか、日本って。

佐藤　JR東日本がソニーと組んでやって、それを他の会社に提供しています。技術的には同じものですよ。

森　そうすると、同じ技術を使うにもかかわらず、一本化できないというのが日本なんですかね。

佐藤　それはあるかもしれないですね。

森　マサビでしたっけ？　あれはＱＲコードを使って改札を通るという考えで、ＱＲコードはある意味で簡単な技術じゃないですか。簡単というか、わかりやすいというか。

佐藤　ＱＲコードも日本の技術ですよ。１９９４年にデンソー（現デンソーウェーブ）が開発して、おしげもなくオープンにしたものです。

森　じゃあ、それを改札に使うということを、海外が考えたと。他人が開発した技術を使って世界標準ですか……。

佐藤　そうなりますね。Ｓｕｉｃａが成功しすぎたので、他のものを入れないような感じになってしまったんですかね。
海外では電車に乗るときにスマートフォンのＱＲコードで改札を通過できる。中国はもう自分のスマートフォンをかざすだけで電車に乗れるというのに、日本では乗れないということになるじゃないですか。インバウンドを考えたとき、自分の使っているスマートフォンで改札を通過することができたら、海外からの旅行客は皆、喜びますよ。

森　ガラケーは、ガラパゴスケータイの略ですね。本当に自虐的なんです。お話を聞くと、同じことの繰り返しみたいですね。

佐藤　ガラケーは素晴らしかったですよ（笑）。突き抜けていたのでしょうね。特許とか、いろいろなしがらみがあるんでしょうけれど、日本も基礎技術を自分で考えるべきときに来ているのではないでしょうか。

森　私はｉモードを開発した方と会ったことがあって。そのときに、ｉモードは完成された技術だとおっしゃったのを覚えています。例えば通信が遅いのに対応し、インターネット見るときに、簡易モードとフルモードが分けてあったり。

私の印象では細かいところまで気を配ってあって、本当に完成されている。これぞ日本的。しかしながら、完成されているがゆえに自由度が乏しいという印象があります。

ところが世の中のハードウェア技術がどんどん進化して通信速度が速くなってくると、ガラケーのいろんな工夫が軽く超えられてしまい、意味がなくなってしまったのかな、という印象があるんです。

佐藤　その辺を眺めながら、スティーブ・ジョブズがｉＰｈｏｎｅをぶつけてきた。それでさーっと市場が変わってしまった。ｉモードがあまりにもうまくいったので、油断しちゃったんじゃないですかね。

Ａｐｐｌｅはｉ Ｐｈｏｎｅでキーボードをなくした。画面でやったじゃないですか。あの革新性はすごかった。大きなインパクトがありましたね。

森　ガラケーという形があって、それを土台にして、それをさらにということがあるんですね。Ａｐｐｌｅが……。

佐藤　Ａｐｐｌｅはすごい勢いでガラケーの世界にスマートフォンをぶつけてきた。本当はそこで「よーし、俺たちもスマートフォンだ」ってなっていると面白かったんですけれど、そこがね、ちょっと違った。

Ａｐｐｌｅに続いてＧｏｏｇｌｅが、これもすごい勢いでやってくるじゃないですか、そしてＡｎｄｒｏｉｄが。その頃に、確かにソフト開発は大変だと思うけれど、日本も本気になればできたんじゃないかな。

森　きちんとした技術を持っていると、新しいものが出たときに、その変化に乗りにくいという傾向はありませんか？

佐藤　ありますね。そう思いますよ。

森　日本が遅れたというより、世界にいろんな技術があって、いろんなものが出てきたときに自分たちの開発した技術にこだわるというのはあるから……。

佐藤　今となったらスマートフォンの次をぶつけようみたいな、そんな元気があってほしいですね。

森　ソニーがトランジスタラジオを開発してから、歩きながら聞くという新しい価値観を持ったウォークマンを開発した。その後、さらにそれを小型化したｉＰｏｄが出てきて、それがウォークマンにとって変わった。

技術はつねにどちらかが一歩抜け出し、それをまた追い越し進歩していくものだとすると、日本が30年間停滞するのはどうしてかな。その理由は何なのでしょうか？

佐藤　金融はいろいろあるかも知れませんが、スマートフォンの世界はこの10年ですね。ガラケーからスマートフォンに変わるのが東日本大震災の頃。

あの頃からガラケーからスマートフォンにマーケットが変わってきた。とはいえ確かに連戦連敗といった印象も拭えません。

森　技術革新は次から次とあった。これから先もまだ可能性があるということですね。GAFA(Google、Apple、Facebook、Amazon)に対抗する何かが、日本から生まれてほしいですね。

佐藤　そうですね。そう思います。今のスマートフォンが究極の携帯電話の姿でもないし、また、いろんな商品が出てしかるべきですね。

充実したインフラを活用して巻き返しをはかれ!

佐藤　先ほどのUberの話で、流行っている理由は、ものすごく価格を下げたからと言いました。

アメリカに行ったときに、ある錯覚に陥ったことがあるんです。日本は公共交通がとても発達している。一方、アメリカには公共交通がほとんどない。そこで、Ｕｂｅｒが公共交通の代替をし始めたんじゃないか、交通ネットワークに対抗し始めたんじゃないかと、一瞬ひやっとしたんです。

でもよくよく考えると、すさまじい勢いで、誰もがＵｂｅｒを使うようになった。それはあまりにも不便なところで彼らが頑張っていた、というだけだと。日本は行き届いた公共交通ネットワークがあるのだから……。

森　東京を始め、日本の都市では人の移動が放射線状に規則的に流れている。それは、公共交通網に則って人が動いているからです。

日本の都市は公共交通に沿って発展するため、人の動きが整然として、簡単に予測でき、理想的と言われてきました。日本以外に例を挙げると、デンマークのコペンハーゲンの都市計画も、同様に公共交通機関に沿って市街地を形成していくこととされており、これを5本の指に見立てて「フィンガープラン」と呼んでいます。一方、公共交通機関が未発達の都市は車中心になりますから人の動きが比較的ランダムです。なのでＵｂｅｒの役割が大きいんでしょうね。

佐藤　そうでしょうね。今回のコロナ騒動で新しい問題として提起されるのは、あまりに大勢の人が都心に通おうとして電車が混みすぎたということだと思うんですよね。

森　それは、私が学んだこれまでの都市計画の反省になるわけです。満員電車を前提にして都市計画を推進してきた。考えてみれば小田急だって東急だってニュータウンとうたって、沿線上に都市開発をした。それが秩序ある街づくりだった。

佐藤　沿線の中で、逆方向にサテライトオフィスをつくるという分散ができたらね……。

森　秩序があるのが正しいというのはある種の思い込みかもしれません。人の流れがランダムな都市は、制御できないという意味で悪い見本だけれど、よく考えると都心を目指してみんなが満員電車に揺られて通勤するというのは「三密」の典型。違う時代に入ってきたのかなとも思えます。

佐藤　そうはいってもインフラ整備にとてつもないお金を注ぎ込んでいるわけですから。ＩＣＴをうまく組み合わせながら都心一極&放射じゃなくて、東急沿線サテライトとかね。今のものを利用しながらやっていけば、日本はスマートシティとか考えたときに実はもうすごいインフラができている、と思うんですよ。

森　人の流れが秩序立っていないと、その不利益を解消するためにＵｂｅｒが出てくるというのが何となくわかりますね。不便があれば、何とか知恵をしぼって改良する。日本もコロナ禍をきっかけに知恵をしぼって新しい街づくりをするようになるかも知れません。

佐藤　今回のコロナ騒動というのは、「密」というものに対して、ある面ではアンチテーゼを突きつけられた。でも、在宅で物事がすべてうまくいくかというと絶対そうはならない。サテライトというのは、東京圏の中でも私鉄沿線にオフィスが分散していくイメージです。

あと、新幹線というのはとても大きな財産だと思います。新幹線の周りに街が発展しますから。そういう構造で分散化が始まるということが今の時代ですね。

これだけのインフラがあるので、これを活用することを考えると、日本は新しい動きが素早くできると思うんですよ。失われた30年というものをどこかで一気に取り返していけばいいのではないかと。

森　世の中不便になるとか危機感を持つと、それを何とかしようという気持ちが噴き出し、必ず解決策が出てくる。

佐藤　日本にはアニメもあるし、料理も美味しい。誰かが言っていたけれど、世界で一番美味しいフランス料理を食べるなら日本に行けとかね。安くて美味しいものがたくさんある。

森　中小企業が伸びた時代の話をちょっとしていいですか。

大学で行う地方分権の講義では、国と都道府県と市町村の関係を考えるときに、日本の世界企業というのはかなりの確率で、もともと中小企業だった事例が多いという話をするんです。ソニー、ホンダ、パナソニックなどが良い例でしょう。

それが何を意味しているかというと、本田宗一郎さん、松下幸之助さんの伝記などを読むと、トップと現場の距離がすごく近く、社長が現場のニーズを肌で感じているような企業が伸びたのではないかと考えるわけです。

それがなぜ地方分権と関係があるかというと、日本は国があって、間に都道府県があって、市町村がその下にある三層構造だということです。つまり、国の意向を都道府県が仲介して市町村に伝える。国が決めた方針を、県を通して市町村に伝え、市町村があまり自分の頭を使わないで国の指示通りに動く、という中央集権でした。

一方、現場を抱えている、つまり市民のニーズを一番熟知している市町村が、自らの頭を使ってそのニーズに即した政策を組み立てるようにならなければいけない、というのが地方分権。

市町村は財政力が弱いですから、市町村が提案した政策を国がしっかり把握して、グローバルな視点で支援していくと。中央集権は現場の市町村が頭を使わないでやる。ですからどうしても全国一律になります。

佐藤　地方が持つ多様な魅力を、地方が自らの頭を使って活かすと。

森　都道府県は、会社でいうと取締役や部長等の中間管理職。社長が総理大臣で、店頭や得意先回りで汗を流す社員が市町村だと。そんなふうに例えるんです。中小企業に話を戻すと、ソニーやホンダなど世界企業になった会社は、トップの社長と現場の社員の意思疎通が良かった。それが現場のニーズを的確に反映した製品を生み出し、世界を席巻したのではないか。それが地方分権と同様だと。

佐藤　ベンチャーですね。

森　〝道州制〟というのは聞いたことがありますか？　どういうことかというと、道州政府が内政を担当して現場の市町村と直結する。3階建てを2階建てにするということなんです。間に取締役や部長など入れない。社長と現場が直につながるという仕組みが道州制。

あるいは市町村を全国に５００程度に集約して強い市町村をつくり、国と直接つなげるという提案。これも３階建て構造を２階建て構造にするということなんです。

地方分権にこだわってきた者からすると、技術の世界でも市民というか、需要者のニーズを的確につかんで、きちんと反映していくという仕組みが機能していれば、日本はまだまだ大丈夫ではないかと。

佐藤　コロナで大きく会社の形が変わろうとしていますが、あい通じるものがあるようにも思います。

世界で進む効率化
キャッシュレスで出遅れる

森　他に日本に足りないものは何でしょうか？　言葉の壁はあるのかな。世界標準に対する鈍感さもそこから来ていたりして。

佐藤　英語が自由に操れると世界に出やすいでしょうね。いくら翻訳ができたりしてもね。もっとスムーズに話せるような教育はあるべきですね。

森　それから島国ということはあると思いますね。売上という側面だけで考えれば、ＪＲ東日本はＳｕｉｃａがあれば十分ではないでしょうか？

佐藤　ＪＲ東日本の将来の計画で、確か運賃収入が10％減った分をＳｕｉｃａ関係の売上で補う、というのがあったように思います。

森　やはり、Ｓｕｉｃａ関係の売上比率を高める方向か。

佐藤　技術は無限に発展します。ヨーロッパでは、電車の入改札にクレジットカードを利用する新しい動きがあって。そうするとＳｕｉｃａと仕組みは何ら変わりません。

一方、日本は顔認証が現実化しそうですね。私がプロジェクトに絡んでいることもありますけれど。本来、入改札というのはそういうものを全部取り込むべきだと思うのです。ＪＲ東日本もＳｕｉｃａだけではなく、新しいものに取り組んでいると思いますが……。

森　私が20年前に中国に赴任していたときに、携帯電話はかなり大型でしたが、仕組みそのものは、日本より中国のほうが進んでいたと思います。

どうしてかというと、日本は日本電信電話公社（現ＮＴＴ）が山の中まで電話線網を敷いていました。一方、中国は日本に比べてはるかに広大な国土を持つこともあり、電話線網を至るところに這わせることは最初から諦め、無線の携帯電話に力を入れた結果、普及が早かったと聞いています。

佐藤　そうなんですよね。電話線網を敷く投資は莫大でしたから。とはいえ、こればかりはいかんともしがたいですね。

森　今までの話の通り、公共交通網が整備されていると、Ｕｂｅｒという新しいソリューションが発達しないとか。電話線網がないから、携帯電話がどんどん普及するとか。ある意味日本には、既存の技術が発達しすぎて新しいものが入り込む余地がないという面も。

佐藤　日本は中国に先んじて居心地の良い国になってしまったんですね。

森　そうですよ。クレジットカードやプリペイドカードが広まらないのも、日本が現金を持っていても安全な国だからですね。中国は偽札が横行しているから、現金を受け取ってもらえないところが結構ある。20年前は、銀行に現金を預けようとしたら、一枚一枚全部チェックされましたよ。

そういう国ですから、田舎で100元札を出しても未だに受け取ってもらえない。そうするとクレジット決済が普及する。日本のように安全ではないからです。

佐藤　そうは言っても、時間単価というか、労働生産性が低くなると国はダメになります。

森　ですから、昨年の消費税増税に合わせて、例のポイント制を導入したじゃないですか。少しでも現金決済を少なくして、カード決済を普及させようとする国の方針ですね。でも、日本って特殊な国だと思ったほうがいいのかな。

佐藤　特殊な国と言われて、どんどんダメになっていくのはイヤですね。ひとり当たりのＧＤＰだって今、相当低いですよね。２０１８年は26位ですか。

森　グローバル化の中では厳しいですね。残念です。

佐藤　今、日本は高齢化を筆頭に様々な問題を抱えています。例えば70代はまだ元気なんでしょうけれど、80代になって足をどうするか、などを突きつけられている。そこをきちんと解決できると、そのソリューションは世界に売れるのでは。その辺、今一番頑張らなければならないときでもあるし。

森　大賛成ですね。日本に課題があるから解決する。安全安心、便利だとそのままでいいと思いがちだけれど、高齢化等の課題があれば解決しなければならない。そうすると、諸外国は日本に遅れて超高齢化社会になるから。高齢化社会の対策について日本が世界のリーダーになれるという話はよく聞きます。

佐藤　私は毎年1月にラスベガスで開催されるCES（コンシューマー・エレクトロニクス・ショー）という家電を中心とした電気機器の見本市に行っています。今年も行きました。そのときはコロナの前で問題なくアメリカに入れたんです。10年前は、そのCESで輝いていたのは日本の家電メーカーでした。でも、近年はサムスンやLGエレクトロニクスが大きなブースで。LGが一番じゃないですかね。日本のメーカーは、本当にショボいブースでしたね。

森　香港返還の頃、私は北京にいたんですよ。街中お祭り騒ぎで。その頃は、ナショナル、ホンダ、トヨタ、ソニーと、中国の人たちに本当に尊敬されていました。それがいつの間にか、俺たちのほうが上だと言われるようになってしまった。

佐藤　去年の3月に深圳に行きましたけれど、昔の秋葉原のような活気がありますね。日本円換算で、２０００~３０００円程度のドローンがいっぱい売っていたり。キャッシュレスじゃないと動けないから、日本人観光客は行動しにくくなっていると思いますよ。私は上海でスマートフォンを一台支給してもらい、それにＷｅＣｈａｔペイとかを入れているので、中国人と同じような生活ができましたけれど。街全体がキャッシュレスですね。

森　中国ではカードを持っていないと、何も買えなくて飢え死にするという笑い話があります。

佐藤　夫婦で経営している田舎の小さなお店で、ラーメンとかワンタンを頼むと5元（約80円）とか10元（約160円）、そんなものです。それをキャッシュレスで決済する。読み取り機にスマートフォンの画面をかざし、自分で金額を入力するのです。そうすると、自動的にスピーカーが鳴るんですよ。「10元ありがとうございます」って。

お店の人は黙々と料理をつくっているだけです。現金を触らなくても、最後に正しく支払われたかどうかを確認できるんです。すごいものだな、と思ってね。

森　コロナを考えるとお金のデリバリーがないほうがよっぽどいい。中国はそこまでキャッシュレスが普及している。それに比べると、日本は……。

佐藤　日本のキャッシュレスはいろんなものが乱立しすぎて、逆に使いづらい。高速道路の自動販売機でも電子マネーが使えるけれど、表示が小さくてよく見えないし、種類も多いので何を選択すればいいか全然わからない。ある面では業者にやさしいのかもしれないけれど、こういうのも全体として変えていかないと。中国ではスマートフォンがなければ生活できないから誰でもスマートフォンを使いこなしますよね。

森　それはもう必要に迫られて。中国は高齢者でも使いこなせますよね。

佐藤　いろんな種類があってもいいけれど、読み取り機がひとつであれば問題ない話でね。みんなバラバラだとわかりにくい。本当はやるべきはそっちなんじゃないかなと思っています。

森　本気で取り組めばひとつにできるんじゃないですかね。

佐藤　あまりにもいろんな手段が出てきて、まとまりがないというか。日本はそういう国なんだろうな。ＭａａＳで予約から決済までと考えても、航空会社や鉄道会社が予約のインターフェイスをオープンにしないとできないんですよ。

森　そうですか。交通機関の縦割りを考えると、一括料金で日本のすべての交通機関を利用できるというサービスは、実現できるのでしょうか？　フィンランドでは４９９ユーロでしたよね？

佐藤　ただ、フィンランドはほとんど何もない田舎ですからできた。

森　東京のように、ＪＲと私鉄が数社もあるわけではない。日本と事情が違うんですね。

佐藤　日本での展開は大変でしょうけれど、そういう世界の方向性を先取りするくらいに思い切って変わると、インパクトは大きいでしょうね。これだけ充実したインフラは、世界に例がないのですから。アメリカのＵｂｅｒなんか何するものぞ、ということで組み立て直していけばいいと思うんですよね。

森　そうですね。その上を行くものを考えればいいですね。

佐藤　フィンランドの場合はこういう問題もあるんです。自動車産業がないので車の輸入はしたくない。もうひとつはエネルギーを節約したい。それが電気自動車になり、自動運転になるという指向の延長線上にＭａａＳがある。

やっぱり車がひょこひょこ動き回っていたらものすごくエネルギーを使います。それなら今の日本のインフラを土台にちょっと手を加えるだけで、素晴らしいスマートシティができると思うんですね。日本は技術がないと言われているのは癪ですからね（笑）。

森　世界標準になれない理由として、縄張り意識や縦割りの弊害は少なくないのでしょうね。

佐藤　あると思いますね。国自体が縦割りですからね。そこはいろいろやろうとしていますけれど。なかなか大変ですね。

森　大変だと思いますよ。

佐藤　Ｕｂｅｒの話に戻すと、交通インフラが整っていないがゆえに、そういうサービスがある程度流行るのはわかる。しかし、みんなが動き始めたときに対応できる感じではないですね。

森　地方都市はそれほど公共交通機関が発達していません。長岡市で見た場合に、山間部というのはシェアとかＵｂｅｒとか、そういうものが決め手になってくる可能性はあると思います。おっしゃる通り、不便とか必要に迫られれば必然的に解決するために出てくるというものじゃないですかね。

コロナで教育は変わるか？秋入学への道筋

佐藤　コロナで学校も相当混乱したのではないでしょうか？

森　そうですね。突然の一斉休校ですから。現場が悩んだのは、コロナで集団感染したら大変なことになるので対応しなければいけないという責任がある。一方で子どもたちのことを考えたら、「明日から休校です。今度お会いするのは新学期です」というわけにはいかないというのが、私が聞いた現場の声です。それはあまりにも無責任だと……。

佐藤　あの対応は早かったですね。

森　いくつかの市町村は、例えば基本的に一斉休校だけれど、週に何日かは登校日を設けました。健康チェックとか、宿題のチェックを行う。ちゃんと宿題をやってきたかをチェックする日です。
千葉市や埼玉県本庄市などでは、総じて保護者の評価は高かったそうです。

佐藤　市町村の現場は頑張っていますね。

森　教育の現場ではひとりに一台コンピュータを貸して、リモートで講義をするのが必然の流れだと思います。その一方で、テレワークもそうですが、やっぱり友達と接触するというのが学校のひとつの目的ですから、リモートだけでは済まないところもある。

テレワークに話を戻しても、月に何回か本社に行って、他の社員とのコミュニケーションを大事にすることは絶対に必要だし、テレワークがすべてにおいて代わるということはあり得ないと思います。

特に大学を考えたとき、大学でサークル活動に熱中するとか、恋人を探すというのは大学の大きな目的のひとつじゃないですか。僕らの頃は、ダンスパーティとか合コンとかよく行きましたね（笑）。

佐藤　合ハイってのもありました。合同ハイキングです（笑）。

森　そういうことを考えると、飲み会とかでの肌と肌が触れ合う関係は絶対に必要です。

佐藤　早稲田大学は今、講義は全部ウェブです。下期もウェブになってしまうんですかね。そうすると東京にいる必要がない。それってなんだかおかしいと思うんですよね。

森　いい面を考えれば、世界中の学生に向けて大学をアピールできるといった新しいメリットもあるけれど。クラブ活動等の交流がない大学生活ではつまらないと思います。

佐藤　理不尽な先輩との人間関係とか、酒が飲めないと言うと酒を飲むまで帰さないとか。そういうのもありましたね、学生の頃は。

森　そういう思い出があって、他人との人間関係を学べるのが学生生活で、それがないのはあまりにもさみしい。だけれど、どこにいても講義が受けられるという便利さも一方であるから、上手に組み合わせることになるのかな。

僕は、彼氏彼女を見つけられないというのはテレワークの最大の弱点だと思います（笑）。

佐藤　若い人の間ではオンライン飲み会が流行っているみたいですが、そこでは彼氏彼女は見つかりませんか？

森　そうですね。逆にオンラインだと仮想空間のような錯覚を起こして、告白しやすいなんていう面がありますかね？

でも、学校っていうのはやっぱり集団で生活したり、運動会や部活動があったりするから楽しいいし、それがなくなると一番つらい。

佐藤　秋入学はどうですか？

森　秋入学についてはいずれそうすべきだと考えますが、準備期間が必要なんですよ。簡単にはいきません。

佐藤　そうですかね。定年して間もない先生たちもいるから、この機会に集まって、わーっとできるんじゃないかと思ったけれど、そんなに甘いもんじゃないですかね。

森　文科省の研究結果を見ると、４月から９月に移行する子どもたちが５カ月間待機するという問題や新入生の人数が１・４倍になり、教員や教室が不足する問題などが指摘されています。

そうした問題もさることながら、コロナのこの騒ぎの最中に大改革をするのは難しいというのが多くの市長の見解です。実施するのであれば、十分な準備が必要で、コロナで子どもたちも精神的に参っているうえ、時間がない中でやるものではないと。

佐藤　ただ、大きな流れとしては秋入学ですよね。

森　それはコロナが落ち着いたところで十分な準備をして。課題を解決していくことに尽きると思いますが。

佐藤　国際化が進む中で、春入学のために日本人留学生が、留学時に半年間ムダに空いてしまう問題は解消したいですね。また、秋入学になると夏休みが長くなるじゃないですか。その期間を利用して、姉妹都市などで過ごすのもいい。

森　子どもたちが海外に行く機会が増えるのはすごく良いことですね。長岡の姉妹都市はアメリカ・テキサス州のフォートワースと、ハワイのホノルル、そしてドイツのトリアーです。トリアーはルクセンブルクに近いローマ時代からの歴史ある都市です。

中学生、高校生時代に留学の経験があるというのは、とても大事なことだと思いますよ。そういえば、留学希望は男の子より女の子のほうが最近多いんですよ。

佐藤　会社でも女子社員のほうが度胸があるし、活発ですね。

森　言葉も生活様式も文化もまったく違う異国での生活は大変です。子どもは今いる環境と違うことを体験したときに感動が生まれて、頭が回転して、新しい気づきがある。だから、留学は積極的にすすめるべきなんでしょうね。

明治維新のときに思いを馳せると各藩が独立国みたいだったものが、いろんな交流が一気に進んだ結果、化学反応が生まれたと言われていますから。
違うところを見る、違うところで勉強するというのはすごく刺激になり、感動があると思います。

佐藤　海外というのもあるでしょうけれど、国内で姉妹都市を結んで、夏休みになったら子どもを入れ替える、親もひっくるめて入れ替えるみたいなことってできないですかね。

森　できますね。東京でいえば武蔵野市が全国の10都市くらいと、特に山間部の市町村と交流を続けています。長岡市と合併した旧小国町が武蔵野市と関係があったので、今は長岡市が武蔵野市との交流都市になっています。

佐藤　我々もこれからテレワークになるわけだから、別に東京にいなくていいわけじゃないですか。空き家もいろいろあるんだったら、それに倣って、町と組んで住居をシェアする。そうなると、ワークスタイルと合わせてずいぶんと面白いことができるんじゃないかと思ったりします。

Zoom対談の終わりに

森　地方都市は多様性に富んでいるというのが私の認識です。気候、風土、歴史、文化……、それらだけでなく、産業から人間性まで様々だと思うんです。関西と越後で育った人間はかなり違う。そういう多様性を持つもの同士が、それぞれの個性を発揮し、連携したり競争したりする社会。それが私の理想の社会です。

佐藤　土地は人間の成長に大きな影響を与えますから。そういう意味では、どこにでも自由に住める時代が来てほしいですね。

森　テレワークを利用して、地方都市に住んで月に数回東京に出て行くというのもひとつのパターンだけど、ライフサイクルという時間軸で考えたとき、子どもが幼児のときには自然が豊かなところに住み、ある程度大きくなったら、教育が充実した小学校や中学校がある都市に移り住む。

そして子どもが成人になったら、家族はそれぞれ好きな地方に住み、お父さんが退職したら、夫婦でのんびり暮らせる地方に住む。一生の間にいろんなところに住むというのは楽しいと思いますよ。日本はそういう国になってほしいなぁ。

佐藤　子どもの頃からいろんなところに住むということで、必然的に多くの友達に出会い、多様な環境や文化を体験する。それは、その子の人生を豊かにしますよね。財産になります。

森　そのためにはジョルダンはじめ、企業がそれぞれ地方にサテライトオフィスをつくり、従業員はどこに住んでも月に数回本社に出社すればいい。そういう働き方に流動性を持たせた社会が必要です。

コロナ後にはテレワークが定着し、それが実現されるといいですね。

佐藤　その昔は東京がキラキラと輝いていて、大勢が地方から目指した。でも、戦後の長い年月を経て、今では地方の魅力が優っていますから。

特にこのコロナ禍で人々の価値観が変わり、東京というくびきから逃れて、気軽に地方に住む時代がようやく訪れようとしている。それをこの対談を通じて確信しました。

森　それにしても、Ｚｏｏｍでここまで話ができるなんて。長岡にいながら東京の佐藤さんと話ができる日が来るとは思いもしませんでした。しかも、佐藤さんがどこに行こうが、追っかけることもできる（笑）。

佐藤さん、実際Ｚｏｏｍはしょっちゅう使っていらっしゃるんでしょう？

佐藤　ちょくちょく使っていましたが、特にいいと思ったのは、一対一のミーティングです。Ａさんと2人だけで話すとか、Ｂさんと2人だけで話すとか。移動の時間がないからやりくりしやすいし。

会議室に何人か集まってのミーティングでは、同じ場にいるにもかかわらず、意外と個人の顔が見えないんですよね。

そこで、全員がパソコンを持って集まり、画面は見るけど、ハウリングを避けるため音はオフにする。パソコン画面に並ぶ顔は小さいけれど全員の顔が見えるので、これはこれでいいと思いました。

森　一対一で威力を発揮する。本当に目の前にいる感じですよね。先ほどもお話ししましたけれど、恋人をつくるアプローチにも、実はかなり有効かなと思ったりしました。この一対一は。

佐藤　それでは触れ合うことができないじゃないですか（笑）。

森　相手の雰囲気に惑わされなくて済むので、わりと話しやすい感じを僕は持ちましたけれど。どうですか？

佐藤　大きなディスプレイで映すと、すごくそばにいる感じが持てるかも知れませんね。

森　声も肝心ですね。大きなディスプレイと、いいマイクといいスピーカーですか。それなりに投資が必要ですね（笑）。

佐藤　ただ、女性と話すときに、顔が正面に出てきて……。普段、そんなに見てなかったから、どぎまぎしたこともありますが（笑）。そういう感覚。

森　大学の講義でですね、教室の中に大勢がいると手を挙げにくいじゃないですか。手を挙げるのに勇気がいるけれども、Ｚｏｏｍなら手を挙げる必要がないし。学生からすると、一対一でやっている感覚があるんだろうなと思うんですよ。

佐藤　チャットで質問することもできますからね。

森　便利ですね。チャットで質問を入れて。私の印象では、いつもよりいい質問がいっぱい出たなと。

それから画面共有でパワーポイントの画像を出せるのが便利です。紙を配ったり、スクリーンに映し出していた今までと比べると、目の前にデータが出てきますから。とても見やすい。

佐藤　同時にアンケートをとることも可能ですね。

森　なんだか、いいことばっかり言ってますね（笑）。

佐藤　外国の人ともコミュニケーションがスムーズになり、頻繁にミーティングもできる。そうするには、僕は語学力がちょっと足りないけれど。

森　Ｚｏｏｍに自動翻訳機能を入れられませんか？

佐藤　できると思いますよ。

森　翻訳が必要になると、Ｇｏｏｇｌｅやｗｅｂｌｉｏをよく使います。かなり正確ですし、組み込むのは技術的にはそんなに難しくないのでは？

佐藤　そうですね。Ｇｏｏｇｌｅは音声認識サービスも提供しているので、話し言葉をその場で翻訳することもできるんですよ。

森　そういうアプリもありますね。

佐藤　ただ、実際に翻訳機能の能力を引き出すには、話すほうもそれなりに考えて話さないと。話し言葉を短く区切って、それを重ねていくなどですね。私のだらだら続く話は翻訳できないので、翻訳に合った話し方をしないといけない。

森　自動翻訳機泣かせの佐藤さんですか（笑）。それに合わせて話し方改革をすればいいんですね。

佐藤　話す前に内容を整理して、理路整然と話すことが必要です、と考えるところから話し方改革は始まります（笑）。

森　テクニックですな。その翻訳を、Ｚｏｏｍに字幕で出すことができるといいですね。

佐藤　できるでしょうね。

ショートセンテンス文化というのでしょうか。Ｔｗｉｔｔｅｒでもそうだし。短い文章で、いかに伝えていくかということが求められている。

世界中の大きな商談はすべて英語、という流れですから、英語はなんとしても取り込みたいです。
とは言え、Ｚｏｏｍに翻訳機能がついたとしても、会社のトップ同士、初対面でという場合には、なかなか厳しいなと。

森　まず握手から始めないと（笑）。

佐藤　森さんとは、年に一、二度飲みながら話していましたが、今後はＺｏｏｍもありですね。

森　思った以上に、対面で話をしているという感じは出ましたからね。それに、スケジュール調整が楽にできるのもいい。

佐藤　最初は顔を合わせてやりたかったけれど、森さんが東京は怖いとおっしゃるし、確かにそのような状況だし。

森　オンライン飲み会にしてもカメラの性能がいいから、顔が赤くなるのがわかりますよ（笑）。あとは慣れだけですね。

佐藤　そうですね。もっと慣れて、またこの続きを話しましょう。今日は長い時間、ありがとうございました。

森　こちらこそ、どうもありがとうございました。

掲載内容は2020年8月11日現在のものです。

あとがきにかえて

初めて行った場所なのに、前に一度来たことのあるような思いに囚われる。しかし、いつのことか思い出せない。デジャヴ（既視感）と呼ばれるこの体験は、私にもたまにあるし、また、ほとんどの人にあるようである。

私には、それだけではなく、ぼんやりとしたイメージ、風景のようなものが漠然と浮かんでくることがある。大きな地震が来る数日前あたりに、なんともいえない不安な思いとともに、絵の具をこってりと塗ったキャンバスのようなイメージが浮かんだりするのである。

日本中がバブルに沸き返っていた頃、何回か、ちょうど今頃と思われる未来の風景が浮かんだ。数十キロ単位に現れる街並み、大きなディスプレイを通して話す人々、祈りを捧げるような敬虔な人々の群れ……。

やがて、石油が枯渇する。豪奢な暮らしから、心を重んじる時代になる。私はそう考え、「ハイテク中世」と名づけ、会社の行事で全社員を前に未来を語った。また、「2020年のICT社会」というタイトルで、雑誌に書いたこともある。ところがどうだろう。2020年を迎えた日本は、暮らしはさらに豪奢に、インバウンドが溢れ、「東京オリンピック」に向けて、国全体が高揚している。私の読みは完全に外れた。

そこに、コロナである……。でも心配はない。最近、浮かぶのは、皆が微笑んでいる未来である。ICTの技術と政治の力で日本は復活する。森さんと話しながら、そんな確信を得た。もちろん、日本人全体が一丸となり、未来に向けて頑張っていくことが前提ではあるが。

2020年8月11日　佐藤俊和

森 民夫

1949 年、新潟県長岡市生まれ。
1972 年、東京大学工学部建築学科卒業後、1975 年に建設省（現国土交通省）に入省。
1999 年、長岡市長に就任し、5 期半ばの 2016 年に退任。この間、2009 年から 4 期、全国市長会会長に就任し、中央教育審議会委員、地方制度調査会委員等を歴任。
現在は筑波大学・近畿大学で客員教授、東京大学（前期）・長岡造形大学で非常勤講師を務める。
2019 年 1 月、一般社団法人地方行政リーダーシップ研究会を設立、代表理事として市町村長等を対象としたセミナーを開催している。

佐藤俊和

1949 年、福島県白河市生まれ。
1973 年、東京大学工学部化学工学科卒業。
1976 年、東京大学工学系大学院（修士）卒業後、株式会社エス・ジー入社。
1979 年 12 月、ジョルダン情報サービス（現ジョルダン株式会社）を設立、代表取締役社長に就任。1993 年に発売した経路検索ソフト「乗換案内」は、その後時刻表を搭載し、インターネット、携帯電話で利用者を増やす。現在は地図を搭載し、MaaS に向けた動きを加速している。
ジョルダンは 2003 年大証ヘラクレス（現東京証券取引所 JASDAQ）に上場。

地方に住んで東京に通うコロナ時代の新しい暮らし

悟空出版

二〇二〇年九月十日　初版第一刷発行

著者　森 民夫　佐藤俊和
編集人　篠塚 順　中木 純
発行人　佐藤俊和
発行所　株式会社悟空出版
〒一六〇-〇〇二二東京都新宿区新宿二-三-一一
編集・販売：〇三-五三六九-四〇六三
ホームページ　https://www.goku-books.jp
装丁・デザイン　株式会社デジタルライツ 川崎和佳子
印刷・製本　図書印刷株式会社

Printed in Japan ISBN978-4-908117-75-6